U0115453

從迷惘到堅定

中學生情緒療癒繪本解題書目

From Uncertain to Steadfast:

An Annotated Bibliography of Emotional Healing Picture
Books for Junior and Senior High School Students

陳書梅　著

旺文社股份有限公司

目次

目次

目次

序文

　　臺灣的中學生，年齡約介於 12 至 18 歲之間，正處於從兒童過渡至成人的青少年期階段，除了生理上出現明顯轉變之外，亦可能在認知發展、心理適應等方面產生獨特的困擾問題。衛生福利部於 2016 年公佈的《兒童及少年生活狀況調查報告》發現，79.5% 的青少年自覺有情緒困擾，其中包括生涯發展、人際關係、感情關係、家庭經濟狀況、外貌身材、與父母關係等方面。此外，「Daily View 網路溫度計」的網路大數據分析結果亦可見，青少年的煩惱，包括渴望愛情關係、不滿意自己外表、對青春期身體變化的不適應，及找不到未來的目標和方向等。由此可見，中學生常見的情緒困擾問題，不外乎自我認同、負面情緒調適、人際關係、家庭壓力、愛情關係，以及生命成長與生涯發展等面向。

　　由於中學生之心智和相關能力的發展未臻成熟，遭遇挫折、困難時可能無法立即尋得解決之道，再加上當代社會快速變遷，因而易造成負面情緒積累；如此，會對其心理健康造成負面影響。相關文獻提到，中學生在面臨困擾、出現負面情緒時，最常採用的因應策略乃是逃避，而較少尋求他人支持；另外，衛生福利部的調查亦顯示，在遭遇困擾時，超過四分之三的青少年，會向朋友等同輩傾訴，僅有 55% 會向父母求助，亦有約一成的青少年不會和任何人分享自己的煩惱。

　　兒童福利聯盟文教基金會的調查也發現，臺灣的青少年普遍缺乏有效的紓壓方式，72.3% 曾出現憂鬱情緒；其中，更有高達 25.9% 已產生中、高度的憂鬱傾向。近年來，青少年因遭遇情緒

困擾問題而衍生之自傷事件亦時有所聞。由衛生福利部的統計數據可知，多年來，自殺皆為青少年死因的第二位，國民健康署於2015年度及2016年度的調查亦指出，分別有18.7%的高中職生及21.2%的國中生，在過去一年內曾有自殺念頭。綜合上述可知，當今臺灣中學生的負面情緒與心理健康問題，相當值得吾人關注。

古人云：「人有悲歡離合，月有陰晴圓缺」、「人無千日好，花無百日紅」，即表明，只要身而為人，皆有可能遭遇挫折、磨難或困境，因而衍生種種負面情緒與情緒困擾。一直以來，圖書都被公認為有撫慰人心與激勵讀者的作用；因此，學者專家主張，遭遇情緒困擾問題的中學生，可將閱讀情緒療癒（emotional healing）素材，作為舒緩負面情緒的管道；換言之，透過閱讀適當的素材，有助於中學生解決情緒困擾問題，並培養其面對不如意事件的堅韌力與挫折復原力（resilience），此即為「書目療法」（bibliotherapy）的精神。

書目療法有不同的類型，其中，發展性書目療法（developmental bibliotherapy），是非醫學、非侵入性的自然療法，如同芳香療法、瑜珈療法等，是心理治療的一種輔助方式，其根基於個體原本即有自我復原的自癒能力。大陸學者王波即表明，發展性書目療法是一種「以保健和輔助治療為目的的閱讀活動」；換言之，此係透過閱讀適宜之素材，來協助當事者跳脫沉鬱不安的負面情緒狀態，進而能冷靜思考解決問題的方法，最終，得以促進個人心理健康的一種閱讀活動。而無論是繪本、小說、心理自助書，或是音樂、影視作品等，皆是發展性書目療法可運用的素材。尤其，相關文獻指出，當代是「圖像時代」，圖文兼具的繪本，是偏好圖像式閱讀的青少年適用之情緒療癒素材。

繪本，是以圖畫為主，文字為輔，或無文字的作品，其透過

生動豐富的圖畫意象和故事，表達了意義深遠的內涵。在閱讀時，讀者會因角色人物的遭遇與自己相似，而不自覺地「認同」（identification）故事內容，並將自己的情感，投射到角色人物身上；同時，會隨著角色人物的遭遇，情緒跟著跌宕起伏；或是一起悲傷，或是一起歡笑，或是產生同仇敵愾之感；如此，會使得個人心中的負面情緒隨著故事情節發展釋放出來，進而產生情緒上的「淨化」（catharsis）作用；其後，能從閱讀中獲得「領悟」（insight），產生認知上與行為上的改變，最終達到情緒療癒的效果。換言之，中學生可透過閱讀具有情緒療癒功能的繪本，培養因應日常的挫折與挑戰的能力、以及從創傷中復原的堅韌力與心理韌性。

　　誠如上述，當代中學生有情緒療癒的需求，而具有情緒療癒效用的繪本，可謂是青少年的「心靈維他命」與「心靈處方箋」。然而在臺灣，一般的中學教育，多偏重知識層面能力（IQ）的培養，而較少關注學生的情緒健康層面，如情緒商數（EQ）、挫折復原力商數（resilience quotient, RQ）、逆境商數（adversity quotient, AQ）等；尤其，在遭遇不順心事件時，中學生不知可透過療癒閱讀的方式，來跳脫情緒的幽谷，並找回挫折復原力，更遑論繪本閱讀了。而縱使一些中學生，會透過閱讀舒緩負面情緒，但亦常不知如何選擇適合的素材；同時市面上也甚少可供參考之情緒療癒素材書目。爰此，筆者於 2014 年，申請科技部的專題研究計畫《繪本的情緒療癒功能研究─以臺灣地區之中學生為例》（MOST 103-2410-H-002-166）；並於 2016 年，申請教育部之「國立臺灣大學 105 年邁向頂尖大學學術領域全面提升計畫《國中生情緒療癒繪本之研究》」。此兩項研究計畫，係分別以臺灣 34 位高中與高職學生，以及 18 位國中學生為研究對象，並運用內容分析法（content analysis）與半結構式深度訪談法（semi-structured in-depth interview），探討彼等常

遭遇之情緒困擾問題類型，並分析其閱讀繪本時所獲致之情緒療癒歷程；最後，筆者將兩項計畫的研究成果，撰寫成此中學生情緒療癒繪本解題書目。

筆者自蒐集與分析適合中學生的情緒療癒繪本、進行實證研究，及至研究計畫結束，最終將研究結果撰寫成此專書，並付梓出版，歷時三年餘。在此，筆者對科技部與教育部的經費挹注，致上深摯的謝忱；同時，也要特別感謝接受訪談的國中生及高中職學生，因著學生們敞開心房，樂於分享，而得以讓更多人了解繪本對中學生的情緒療癒效用；再者，亦非常感謝幫忙招募受訪同學、安排訪談場地之中學教師們的熱心協助，讓兩項實證研究得以順利完成。

近年來，筆者經常應邀至臺灣各地的國中與高中職學校，擔任書目療法講座或主持工作坊，因而接觸了許多第一線的中學教師；其中，基隆市立暖暖高中甘邵文校長和王嘉萍老師，因十分認同書目療法的理念，更是一邊研習書目療法的專業知能，一邊以幾近「愚公移山」的精神，結合基隆市一些學校的閱讀推動教師之力量，一起在所屬學校的圖書館與閱讀課程中，積極地推動書目療法，協助學生以閱讀促進心理健康。凡此，讓筆者得以在研究書目療法的道路上，感覺並不孤單，甚至覺得任何時候，皆有人挽起袖子，跟我一起打拼！於筆者而言，這些中學教師同道的用心與努力付出，充分地傳遞了「同溫層」的溫暖，也成為我完成此專書的重要動力。

本專書是繼《兒童情緒療癒繪本解題書目》以及《從沉鬱到淡定：大學生情緒療癒繪本解題書目》之後，筆者所撰寫的第三本情緒療癒繪本解題書目。前兩本書的出版業務，皆委託臺灣大學出版中心出版；今年，出版中心忙於臺大九十週年校慶系列出版品相關業務；而許多中學教師，一直企盼本專書的出版。因此，基於時效，本書委由旺文社公司出版。在此，要感謝旺文社，願意協助筆者出

序文

版此專業性的解題書目。

本專書得以順利面世，筆者特別要感謝外子謝繼茂。一直以來，您明瞭書目療法對人們心理健康促進的作用，同時，您也深知我期盼將書目療法的研究成果，能真正實踐於社會的心願；因此，當在申請此相關議題的科技部研究計畫受挫時，您不但給予我情緒上的支持，更將平日撙節生活所得，資助我繼續進行書目療法研究；您此等對我的深切情意與關懷社會之心，在在都讓我深感敬佩，且永遠銘感於心。再者，筆者也感謝陳倩兒、孫聖昕等兩位臺大圖書資訊學系碩士班研究生的鼎力協助，兩人皆在筆者指導之下，完成書目療法相關主題的論文；在學期間，亦擔任筆者的研究助理，協助繪本篩選、研究訪談、資料分析等工作；另外，戴辰軒、陳祖兒、楊欣容、賴怡璇等大學部同學，亦在本專書的不同階段，協助部分資料之整理與排版工作，筆者亦在此一併致謝。

現今在臺灣，書目療法仍處於起步階段。2015 年 11 月，圖書館學會「閱讀與心理健康委員會」正式成立迄今，積極辦理了一些療癒閱讀的推廣活動，如針對各類型圖書館館員，開設書目療法專業知能培訓課程；或為一般民眾、中學教師、心理諮商人員、社工與醫療人員等，舉辦相關講座和工作坊；同時，亦成立「閱讀與心理健康」臉書粉絲專頁，分享相關的情緒療癒素材、推廣書目療法理念；再加上「邁向健康幸福人生－2017 年書目療法服務圖書館實務經驗分享論壇」，以及針對全臺灣中學教師，辦理之「用閱讀培養青少年的堅韌力－2018 年書目療法服務中學圖書館實務經驗分享論壇」。經由上述的活動，臺灣之圖書資訊學界、圖書館實務界、教育界、心理衛生界、社工界、醫療界等相關領域的專業人員，以及一些社會人士，對書目療法已然有基本的概念；而一些中學圖書館，如基隆市立暖暖高中、基隆市立銘傳國中、基隆市立明德國

中、國立新竹高中，以及新竹市立建功高中等，皆已在校內，針對中學生的情緒療癒需求，展開發展性書目療法服務。然而，仍有中學生、教師、館員或民眾，對書目療法的理念與真正意涵並不甚了解，遂引發筆者出版此專書的動機。

　　筆者期冀透過本專書的出版，可增進中學生對書目療法的認知。無論是日常生活中的情緒困擾，甚或是因重大災難事件，而衍生負面情緒者，皆可從本專書中挑選適合個人的情緒療癒繪本來閱讀，從而找回內在的挫折復原力；如此，除了求助他人外，中學生亦能有一兼顧便利性與個人隱私的情緒抒發管道。至於中學生的家長、親友、學校教師，以及輔導中心之心理諮商人員等，亦可以本專書所臚列的情緒療癒繪本為媒材，輔導中學生面對個人的情緒困擾問題。彼等可透過與中學生討論情緒療癒繪本的閱讀心得，引導中學生從迷惘、無助等之負面情緒，轉移至認同、淨化、領悟的心理狀態；最終，能堅定、勇敢地面對個人當前的挫折與困境。同時，本專書亦可供國中、高中與高職等學校圖書館發展療癒性館藏資源，以及規劃書目療法服務相關活動之參考；爰此，學校圖書館一方面得以回應中學生潛在的情緒療癒需求，一方面亦能協助和諧的「心理健康促進校園」之營造。

陳書梅 謹識

2018 年 6 月

于臺灣大學圖書資訊學系

中學生
情緒療癒繪本書目

本解題書目共收錄 58 本適合國中生和高中職學生閱讀的情緒療癒繪本，總計涵蓋六項主題：A 類：「自我認同」、B 類：「負面情緒調適」、C 類：「人際關係」、D 類：「家庭壓力」、E 類：「愛情關係」、F 類：「生命成長與生涯發展」。茲詳述如下：

- A 類「自我認同」：自我價值的困惑／自我定位混亂／負向自我概念／外在差異造成的負面情緒

- B 類「負面情緒調適」：孤單／困惑／鬱悶／失落／委屈／沮喪／憤怒

- C 類「人際關係」：結交新朋友／人際互動／朋友吵架／群體生活的摩擦／霸凌

- D 類「家庭壓力」：與父母關係／手足關係／家庭經濟壓力

- E 類「愛情關係」：渴望愛情／曖昧期／單戀／失戀

- F 類「生命成長與生涯發展」：對成長的不適應／面對未來的困惑感

在各個主題之下，首先列出國中生適用的繪本，其次，為國中與高中職學生皆適用之繪本；而高中職生適用的繪本，則列在該類別的最後。

在本解題書目中，所列的每一筆繪本，皆列有「讀者情緒困擾問題類型」，其次，則為「繪本基本書目資料」，包括書名、作者、繪者（如為外籍作家或翻譯作品，則並列譯文與原文）、譯者、出版社、出版年（如非初版，則註明版次）及 ISBN（13 碼）等。再次，則係繪本之「內容簡介」、「情節舉例」，以及「情緒療癒效用」等。

A 自我認同

◎ 自我價值的困惑
◎ 自我定位混亂
◎ 負向自我概念
◎ 外在差異造成的負面情緒

自我認同
──自我價值的困惑、自我定位混亂、負向自我概念、外在差異造成的負面情緒

書名／好醜好醜的蟲子（The Very Ugly Bug）
作者／文・圖：麗茲・皮瓊（Liz Pichon）
譯者／許駿
出版社／臺北縣：喬福
出版年／2005（再版）
ISBN／9789868063020

◆ 內容簡介

　　主角好醜好醜的蟲子是所有昆蟲中長得最醜的。每當看到其他蟲子的外貌與特點時，牠都相當好奇而且羨慕，並想了解為何自己的外表和他人不同。

　　後來，好醜的蟲子發現，其他昆蟲藉由自身的外貌特徵，躲過鳥兒的捕食，主角遂找了許多道具來變裝，欲將其他昆蟲的特色，全添加在自己身上；但牠裝扮後的奇怪模樣，卻引來鳥兒的獵食動機，此讓所有蟲子受到驚嚇，主角身上的裝飾也因而掉了下來。

　　於是，主角不僅露出原本的外貌，且更因驚嚇而變得更加醜陋可怕。鳥兒看到主角的醜貌，便失去胃口離開了；如此，使昆蟲們避過一場危機，主角也因而得到大家的讚賞，亦獲得了同類異性蟲子的青睞。

◆ 情節舉例

「萬歲！好醜好醜的蟲子萬歲！

所有的蟲子都大聲歡呼。『牠太醜了，把鳥兒嚇跑了。』『我喜歡這副醜模樣。』好醜的蟲子得意的說。旁邊一隻好醜的蟲子先生也覺得牠太可愛了。」

　　左頁畫面中，主角好醜好醜的蟲子，被昆蟲朋友們高興地舉起來，主角得意揚揚的神情與肢體動作，充分呈現其完全接納了自己的醜陋外表。右頁的畫面中，則有另一隻好醜的蟲子，正拿著花想要追求主角。此兩頁畫面鮮明可愛，國中生能感受到其中傳來的歡樂氣氛。

◆ 情緒療癒效用

認同

好醜好醜的蟲子對自己天生醜陋的外表感到不解，因此嘗試改造自己，以擁有其他昆蟲的外貌特徵。而許多國中生亦會如同主角一般，因覺得自己與眾不同，或不滿意自己的外表，便嘗試模仿他人，好讓自己變得與他人一樣。另外，對於主角只看到他人的特點，而未發現自身的長處所在，亦會讓正在尋找自我價值的國中生有所共鳴。

淨化

主角最初因覺得自己外表特別嚇人且引人注目，於是到處詢問其他昆蟲，其外表為何與自己不同。由此，國中生能感受到，主角對天生奇特的外貌感到困惑與不解，且缺乏自信心。而在得知每個人特徵的功用後，主角便希望擁有他人的特色，於是費盡心思地改造自己；讀者能從此故事情節，體會到主角渴望獲得他人認同的心境。之後，主角因險些被鳥兒獵食而受到驚嚇，更露出原本的面貌，其不止嚇走敵人，也由此吸引到異性的同類蟲子；閱讀至此，國中生會為主角找到個人的定位與歸屬而感到高興。另外，此繪本的角色形象與畫風逗趣，色彩鮮豔明亮，能讓國中生閱讀後心生喜悅感。

領悟

看到主角的經歷，國中生可以了解到每個人皆是獨一無二的，不僅外表與特質不盡相同，且各有所長；因此，不必過於羨慕他人，也不須藉由模仿來建立自信心；而應善用自身的優點與獨特之處，從而建立自我的價值。另外，主角一直保持樂觀正向的態度，積極探索，其不因自己特異的外表而感到頹喪；由此，國中生在尋找自我價值時，實可學習主角勇於探索的精神，最終，當能找到自己的定位。同時，此故事亦提醒吾人「天生我材必有用」，要學習看重自己也尊重他人，更要避免憑外貌來論斷對方。

自我認同
—自我價值的困惑、自我定位混亂、負向自我概念、外在差異造成的負面情緒

書名／很慢很慢的蝸牛

作者／文・圖：陳致元

出版社／新竹市：和英文化

出版年／2011

ISBN／9789866608391

◆ 內容簡介

　　一隻蝸牛欲爬到葡萄樹上吃葡萄。途中，其遇到水管蛇和大嘴蛙，兩人皆嘲笑蝸牛行動緩慢，並搶先爬上葡萄樹，結果吃到尚未成熟的酸葡萄。

　　後來，蝸牛遇到毛毛蟲，並邀請對方結伴同行，前往葡萄樹。路上，兩人一邊前進，一邊愜意地玩樂、享受美景，更一同躲過被獵食的危險。而當牠們爬上葡萄樹時，發現只剩下一顆熟爛的葡萄；水管蛇和大嘴蛙因此嘲笑兩人白費心力。

　　然而，蝸牛發揮創意，利用熟爛的葡萄與樹葉，製作果醬三明治，並與毛毛蟲一同愉快地飽餐一頓。之後，兩人更約定，一起到蘋果樹上吃蘋果。路途中，毛毛蟲羽化成蝴蝶，並帶著蝸牛一同飛往目的地。

◆ 情節舉例

「終於，蝸牛和毛毛蟲爬到葡萄樹上了，大家都笑蝸牛和毛毛蟲：『你們走得太慢了，葡萄樹上只剩下一顆葡萄，而且還熟到爛掉，哈哈哈哈！』毛毛蟲看著爛葡萄，難過的哭出來。」

　　蝸牛與毛毛蟲，仰望著樹枝上僅餘的一顆爛葡萄，神情十分難過與失望。而一旁的水管蛇和大嘴蛙則咧著嘴，嘲笑兩位主角。看到此畫面，國中生會替兩位主角感到不捨與憤憤不平。

◆ 情緒療癒效用

認同

　　故事中，蝸牛被他人取笑行動緩慢，難以達成目標、吃到葡萄的情節，會讓國中生聯想到，日常生活中，亦有因表現不如他人，而被瞧不起的經驗。此外，蝸牛和毛毛蟲終爬上葡萄樹，但葡萄已熟爛的情節，也會讓國中生聯想到生活中，亦常遇到一些未如預期發生的事，而感到心有戚戚焉。

淨化

　　一開始蝸牛被嘲笑時，國中生會為之感到難過；而看到蝸牛和毛毛蟲長途跋涉，歷經艱辛，但兩人的臉上總是掛著開心的笑容，則會令讀者的心情跟著愉悅起來；同時，國中生也會對兩位主角堅持到底、隨遇而安的精神心生敬佩。另外，毛毛蟲爬上葡萄樹時，看見僅餘的爛葡萄，即難過得哭了起來，此會讓國中生覺得不捨；之後，兩人享用爛葡萄做成的果醬三明治時，令原本取笑兩人的動物們，也露出羨慕的神情，看到此畫面，會讓讀者感到輕鬆喜悅。而蝸牛和毛毛蟲一起達成目標後，仍相約繼續同行，國中生會為兩人的誠摯友誼心生感動，並覺得十分溫馨。

領悟

　　讀完此書後，國中生可以學習到蝸牛與毛毛蟲堅毅不拔的精神。換言之，即使自身能力不如他人，但在認定目標後，按著自己的步伐，一步一腳印，只要抱持信心、不畏艱苦，不輕言放棄，最終即能有所收穫。尤其，在面對他人的質疑和嘲笑時，不需感到自卑與哀怨，而應學習兩位主角，以正向思考的態度邁步向前，終能跨越重重障礙。另外，故事中，蝸牛與毛毛蟲在路上互相扶持，建立堅定的友誼，由此，亦可讓國中生體悟到，個人可結交志同道合的良友，在成長過程中彼此勉勵，一同面對挑戰，並克服所遭遇的困難。

因覺得能力不如他人，甚至遭到取笑而感到失落與難過（國中）

A03 讀者情緒困擾問題類型：
因覺得能力比不上同儕而缺乏自信

書名／紅盒子裡的祕密

作者／文：林培齡

　　　　圖：陳映涵

出版社／臺北市：三之三文化

出版年／2015

ISBN／9789865664190

◆ 內容簡介

　　小熊需與同組的夥伴眼鏡猴合作，一起完成驢子爺爺所交付之「尋找紅盒子」的任務，方能從學校畢業。小熊因天生聽力障礙，動作較不靈敏，故遭到聰明伶俐的眼鏡猴嫌棄；同時，小熊也深恐會連累夥伴無法完成任務，而煩惱不已。

　　在尋找紅盒子的過程中，小熊與眼鏡猴經歷不少困難，但透過兩人的互相扶持，加上其他動物的幫忙，避開了許多危險；牠們亦從而了解對方的長處與弱點，並成為有默契的好友。

　　如此，在協力合作之下，小熊和眼鏡猴順利完成了「尋找紅盒子」的任務，更獲得驢子爺爺饋贈的紅盒子。其後，兩人了解到紅盒子就是在傳遞愛的精神，便決定和所有動物們分享。

◆ 情節舉例

「原來，小熊的助聽器不見了，所以沒聽到眼鏡猴的警告聲。小熊急得不知如何是好，摀著臉哭了起來……眼鏡猴也曾掉過眼鏡，當時眼前一片模糊，什麼都看不清楚。他非常能體會小熊現在的心情。」

　　畫面中，小熊坐在石頭上，摀著眼睛、眼淚不斷滑落，傳達出其著急、懊惱的心理感受；而眼鏡猴則一臉擔心地站在旁邊，並用手輕輕撫摸著小熊的頭安慰牠。讀者能從眼鏡猴的動作，感受到牠能深切體會與同理小熊焦急的心情。

自我認同──自我價值的困惑、自我定位混亂、負向自我概念、外在差異造成的負面情緒

◆ 情緒療癒效用

認同

書中情節描述，小熊因為聽不見，總覺得自己的耳朵很麻煩、會笨手笨腳地拖累同伴，顯示出其缺乏自信的一面；由此，國中生會聯想到自己或周遭同學，因能力或成績不如同儕，甚或是先天的障礙，而被他人嫌棄，導致自我價值感低落的情形。此外，由小熊與眼鏡猴必須合作完成任務的情節，也讓國中生聯想到，在完成學校的分組作業時，亦有未能善盡所分配責任的「豬隊友」，以及獨攬工作不擅合作的同學，故能產生深深的共鳴感。

淨化

一開始，小熊對於先天的聽力障礙，感到心煩、自卑與難過，也因此對兩兩一組的任務擔憂不已；看到此情節，國中生能感受到主角心中的憂慮。之後，小熊察覺到自己聽障耳朵的好處，並能與眼鏡猴發揮互助互補的作用，終得以順利完成尋找紅盒子的任務；也因此，小熊的心境變得越來越開朗，讀者也跟著愉快起來。於是，隨著故事情節的開展，讀者能與主角的心情一同起伏，從而得以釋放先前因懷疑自己而衍生的低落情緒。

領悟

看完小熊的故事，讀者能了解到，應學習欣賞他人的優點，並包容彼等的不足之處，因「天生我材必有用」，且自己未來可能也會需要對方的協助。同時，在團體合作時，亦不該抱持英雄主義，而應多邀請大家參與，讓每個人皆能適得其所，發揮各自的專長；如此，方能順利圓滿地達成任務。此外，若覺得有些能力不及他人時，亦不必妄自菲薄，而應認知到自己的長處所在，並將之努力發揮出來；最終，當可贏得他人的信賴與尊重。

A04 讀者情緒困擾問題類型：
因過於在意他人眼光而感到不安與缺乏自信

書名／恐怖的頭髮（Horrible Hair）

作者／文·圖：傑洛德·羅斯（Gerald Rose）

譯者／林清雲

出版社／臺北市：三之三文化

出版年／2010

ISBN／9789867295620

◆ 內容簡介

　　獅子先生受邀參加船上的舞會。牠非常不喜歡自己蓬鬆凌亂的頭髮，因此，獅子先生嘗試了各種標新立異的造型，希望能梳理出漂亮髮型與會，卻始終不滿意，並為此感到十分煩惱、無奈與不安。

　　過程中，獅子先生以不同的造型，詢問其他動物的意見，期盼能得到讚賞與肯定，但動物們皆忙於準備參加舞會，不是無暇理會主角，就是給予令其無所適從的意見，讓主角覺得自己被嘲笑而傷心哭泣。最終，牠還是無法決定頭髮的造型，於是只好頂著不滿意的髮型參加舞會。

　　在舞會上，獅子先生因在意頭髮造型而未能盡興。其間，舞會的船意外沉沒，所有動物皆跌入水中，主角的頭髮因此恢復成原本未經妝扮的模樣；但其他動物卻讚美主角的頭髮造型，獅子先生因而高興極了。

◆ 情節舉例

「他對他的頭髮又刷、又梳、又燙的試了各式各樣的造型……　……始終不滿意自己那恐怖的頭髮。」

　　畫面中，獅子先生渴望獲得他人的讚美，於是不斷嘗試梳理出各種新奇的頭髮造型，但其臉上卻始終顯現悶悶不樂的表情。由此，國中生能感受到主角心中的茫然與苦惱；同時，主角大費周張地改造自己，讀者一方面會覺得十分逗趣，且佩服獅子先生的勇氣，另一方面也會為之感到心酸。

自我認同——自我價值的困惑、自我定位混亂、負向自我概念、外在差異造成的負面情緒

因過於在意他人眼光而感到不安與缺乏自信（國中）

◆ 情緒療癒效用

認同

獅子先生對自己的髮型不甚滿意，牠為了贏得其他動物的讚賞，而嘗試種種標新立異的造型。看到主角辛苦地改變自己的模樣，會讓十分在意個人外表的國中生感到心有戚戚焉。此外，看到獅子先生到處詢問動物們對自己髮型的意見，亦會讓國中生聯想到，個人也常詢問他人對自身外表、髮型、服裝等的看法，希望藉此得到認同的相似情況。

淨化

獅子先生苦惱地嘗試各種造型，期盼能在舞會上展現最好的一面，因此吃了不少苦頭。然而，獅子先生的許多造型，皆未能贏得其他動物的讚賞，甚至讓主角覺得自己被嘲笑而傷心落淚。閱讀至此，國中生能感受到主角無奈與沮喪的心情，並為之感到心酸與難過。而當看到主角落水上岸，顯露出原本蓬鬆凌亂的頭髮，反倒獲得其他動物的大力稱讚時，獅子先生開心不已的模樣，令國中生也跟著感到十分高興。此繪本的畫風誇張逗趣，獅子先生的肢體動作與表情刻畫得非常生動傳神，讓國中生在閱讀時覺得趣味橫生。

領悟

由此繪本，國中生可以領悟到，每個人各有其獨特性，極力尋求他人認同，或盲目地改變自己外表等作為，皆可能會事與願違，徒增煩惱，甚至迷失自我。看到獅子先生落水後，顯露未經妝扮的真實面貌，反而獲得其他動物讚賞與肯定的情節，國中生可學習到，應接納個人與眾不同之處，珍愛自己，發現個人的天賦所長，並培養自信心，如此，總有機會遇到欣賞自己的人。

自我認同──自我價值的困惑、自我定位混亂、負向自我概念、外在差異造成的負面情緒

書名／Guji-Guji

作者／文・圖：陳致元

出版社／臺北市：信誼

出版年／2011（二版）

ISBN／9789861610177

◆ 內容簡介

　　鴨媽媽孵化了掉落在鴨巢裡的鱷魚蛋，生出鱷魚 Guji Guji。雖然牠的外貌與一般鴨子截然不同，但鴨媽媽對 Guji Guji 和其他手足一樣，百般呵護與疼愛。

　　某日，有三隻鱷魚為了吃鴨子，於是告知 Guji Guji，牠是鱷魚們同類的事實，更教唆 Guji Guji 一起進行吃鴨子的計畫。此讓主角對自己的身份感到困惑，並因而苦惱不已。

　　之後，Guji Guji 經過一番思考，尋得了自己「鱷魚鴨」的定位。同時，牠也運用聰明才智，聯同鴨子家族，成功解除三隻鱷魚帶來的威脅，也因此受到鴨子們的愛戴。最終，Guji Guji 自信快樂地繼續在鴨子家族中生活。

◆ 情節舉例

「難過的 Guji Guji 獨自來到湖邊：『我不是鴨子，而是一隻壞鱷魚。』Guji Guji 對著湖面，做了一個很兇的表情。這時候，湖面浮出了一個好笑的模樣。Guji Guji 笑了起來：『我不是鱷魚，也不是鴨子，我是鱷魚鴨。』」

　　畫面中，主角 Guji Guji 獨自一人在湖邊，看著湖中的自己，並舉起雙手，嘗試做出凶惡的表情，但卻覺得倒影中的自己十分可笑。透過如此的沉思過程，主角終於找到自己的定位，於是，心中如釋重擔，不再受鱷魚們的話語影響。看到書中 Guji Guji 逗趣的動作與表情，中學生不禁莞爾一笑，且亦會為牠不再困惑於自己的身份與定位而感到高興。

◆ 情緒療癒效用

認同

在此故事中，主角 Guji Guji 突然得知自己是隻鱷魚，之後，更認知到自己無法成為真正的鴨子，看到 Guji Guji 對個人身份與角色定位感到困惑的故事，正在尋找自我定位的中學生，會覺得主角和自己的情況相似，進而產生共鳴感。此外，透過本書，中學生會聯想起個人或周遭他人，有時也因性別、家庭、身心狀況等因素，而使個人志向或發展受限的狀況。

淨化

主角 Guji Guji 受到三隻鱷魚的唆弄後，對於自我定位產生矛盾與疑惑，看到此情節，中學生能感受到，主角心中相當糾結與徬徨，令人覺得牠十分可憐。而當主角釐清自己的定位後，即豁然開朗起來；由此，中學生亦會感染到 Guji Guji 的正面情緒；同時，對主角一直以積極樂觀的態度，勇敢地面對問題，終能突破自我認同的心理障礙，也會令人感到敬佩。最後，看到 Guji Guji 得到鴨子家族所有成員愛戴的情節，中學生亦會覺得溫馨與開心。

領悟

透過此故事，中學生可以領悟到，在追求自我定位與自我價值的過程中，無論是先天因素，或是遭遇任何挫折事件，皆應如主角 Guji Guji 般，堅守個人的信念，並以開朗樂觀的態度，積極面對問題，以尋得解決的方法。同時，中學生亦能了解到，家人的支持與接納，以及對自己的認同感，能有助於個人建立自我價值與正向的自我概念。另外，由擁有鱷魚外表、鴨子心腸的主角 Guji Guji 之作為，中學生亦能體會到，在人際交往時，個人不應單憑外貌、種族或家庭背景等因素來論斷他人，而應在與對方互動交流後，再客觀地作出判斷，以免錯失建立友誼的機會。

書名／但願我是蝴蝶

（I Wish I Were a Butterfly）

作者／文：詹姆士・荷奧（James Howe）

　　　圖：楊志成

譯者／黃迺毓

出版社／新竹市：和英

出版年／2001

ISBN／9789573070429

◆　內容簡介

　　主角小蟋蟀能唱出悅耳的歌聲，但牠不滿意自己的外表，甚至討厭身為蟋蟀。一天，主角聽到青蛙批評牠的外貌醜陋，便感到頹喪不已，終日足不出戶，只是嘆息著「但願我是蝴蝶」。

　　其間，小蟋蟀聽從母親的話語，嘗試出門與他人互動，並向所遇到的昆蟲們詢問，自己是否外貌醜陋。雖然大家都給予安慰，但牠覺得昆蟲們並不能同理自己的感受，因此，仍無法改變對外表的負面認知。

　　後來，小蟋蟀尋求老蜘蛛的協助，並向對方傾訴心中的苦惱。透過老蜘蛛的引導，主角學會不再在乎他人的閒言閒語，並開始懂得欣賞自己的美好特質。如此，小蟋蟀建立了正向的自我概念；於是，終能如同往昔一般，自信地唱歌。最後，其歌聲更得到蝴蝶的欣賞與讚美。

◆　情節舉例

「小蟋蟀看到水中的倒影，忍不住哭了：『我為什麼這麼醜呢？』　他對著水中的自己說：『為什麼我不能像……』」

　　小蟋蟀在一片蓮葉上，低頭凝視著池塘中的倒影，哭著抱怨自己的外表醜陋，並一再嘆息着希望能變成美麗的蝴蝶；看到此情景，抱持負向自我概念的中學生，會聯想到個人的經驗；同時，能感受到主角傷心難過的情緒。

◆ 情緒療癒效用

認同

主角一向覺得自己外貌醜陋，加上青蛙的惡意批評，使其心中受挫，而一直糾結在負面情緒當中。看到故事內容，會讓中學生聯想到，個人亦曾如同主角般，因自我認同感低落，故即使許多人肯定自己，但只要有一個否定的意見，便易心生動搖而失去自信。另外，由此故事，中學生會回想起，自己也曾因遭受他人批評而心情低落，甚或感到忿忿不平的相似經驗。

淨化

故事一開始時，小蟋蟀因遭受批評而畏縮，且心中充滿自卑感，中學生看到此情節，能感受到主角失落、難過、氣憤的情緒。而經由老蜘蛛的開導，小蟋蟀重新找回自我價值，因而豁然開朗，重拾自信，主角此種心境轉變的過程，令中學生的心情也跟著跌宕起伏。最後，小蟋蟀愉快地引吭高歌，讓蝴蝶讚歎「但願我是蟋蟀」；閱讀至此，中學生會因主角得以一展所長，並獲得偶像的讚美，而為之感到高興不已，個人原先的負面情緒也能隨之一掃而空。

領悟

中學生可以由小蟋蟀的故事，反思自己是否也總覺得比不上他人，而未能看到個人的優點。由本書，中學生可以領悟到，每個人皆有其獨特性，因此，應欣賞並展現個人的專長；同時，不需要過於在意他人的批評。尤其，遇到不順心且無法改變的事情時，當下不妨選擇接受，並學習由另一個角度看待之；如此，將可發現，不如己意的事情也有值得欣賞與投入的地方。

再者，小蟋蟀不斷地尋求朋友的肯定，但皆未能得到滿意的結果，終在老蜘蛛開導後解開心結；由此情節，中學生可學習到，當個人因自我認同感低落，而衍生負面情緒時，除了尋求同儕肯定外，亦可尋求如老蜘蛛般，值得信賴且生命經驗較豐富的長者協助自己，或許會有意想不到的收穫。

自我認同——自我價值的困惑、自我定位混亂、負向自我概念、外在差異造成的負面情緒

書名／你很特別（You Are Special）
作者／文：陸可鐸（Max Lucado）
　　　　圖：馬第尼斯（Sergio Martinez）
譯者／邱慧文、郭恩惠
出版社／臺北市：道聲
出版年／2009（二版）
ISBN／9789570368246

◆ 內容簡介

　　主角胖哥是由某位木匠製作的木頭人之一。這群木頭人，常為他人貼上「金星貼紙」以表示肯定，而貼上「灰點貼紙」則表示否定。由於胖哥的行為表現並不靈巧；因此，他被貼上許多灰點貼紙。為此，胖哥十分難過與自卑，甚至終日留在家中，不與他人接觸。

　　某日，胖哥遇見身上沒有任何貼紙的木頭人露西亞。胖哥希望自己能和她一樣，於是請教對方。露西亞表示，她每天皆會至木匠的工作室與之對話，亦建議胖哥嘗試自行前往該處。

　　經過一番思考後，胖哥鼓起勇氣尋找木匠，並獲得木匠的歡迎與肯定。經過對話後，胖哥得知自身的獨特性，且體悟到不需過於在乎他人的眼光。由此，胖哥重拾自信，身上的灰點也開始掉落。

◆ 情節舉例

「其實，有些人只因為看到他身上有很多灰點貼紙，就會跑過來再給他多加一個，根本沒有其他理由。」

　　畫面中，兩個木頭人正在拿出灰點貼紙，欲貼到胖哥身上，而主角則一臉無奈地接受；同時，文字亦敘述，由於他人的負面評價，主角無故遭受更多的惡意批評。閱讀至此，中學生會相當同情胖哥的遭遇，並替他感到氣憤不平。

因負向自我概念、過度在意他人評價而衍生自卑感（國中／高中）

◆ 情緒療癒效用

認同

主角胖哥覺得自己笨拙無比，在許多方面皆比不上他人，也經常做出會遭人嘲笑的行為，因而被貼上許多象徵否定的灰點貼紙；於是，他終日躲在家中不想與人接觸。由此，中學生會聯想到，自己或班上同學，亦會因自覺不夠優秀，表現不如他人，而變得退縮，甚或自卑和失去自信，故會對主角的境遇和行為反應有深刻的共鳴。另外，在此故事中，每個木頭人皆努力追求代表讚美的金星貼紙，亦讓中學生覺得，此彷彿是個人生活中，追求他人讚美、成績優異、多才多藝等之寫照。

淨化

小木頭人胖哥因表現並不優秀，而不斷地遭到周遭他人否定；由畫面中，胖哥低垂著頭、雙眼無神的表情，中學生可以感受到其難過、沮喪，甚或失去自信的心態；同時，看到主角累積了許多負面評價，因而莫名地被貼上更多灰點貼紙，讀者會為之感到不捨與不平。

後來，胖哥從身上無貼紙的露西亞口中得知，個人也可嘗試讓貼紙脫落時，中學生會感受到，胖哥心生嚮往與期待。之後，看到主角勇敢前去與製作自己的木匠對話，並得到對方深切的同理和肯定，因而重拾自信與自我價值感；對此，中學生會佩服主角尋求改變的行動力和勇氣。最終，胖哥開始展露笑容，再加上他離開木匠時，一個灰點貼紙掉落的畫面，會讓中學生覺得十分感動與振奮。由此，個人心中積壓的失落、沮喪情緒，得以一一釋放。

領悟

藉由本書，中學生可學習到，當遭遇負面評價時，應嘗試理性思考這些評價的實質內涵，而不必將無謂的言語掛在心上。此外，亦能學習露西亞，不刻意追求外界的讚美與肯定，也不在乎他人的否定；如同書中木匠所言，「只有當你讓貼紙貼到你身上的時候，貼紙才會貼得住」；亦即，

當個人能抱持正向的自我概念時，便不會輕易受到外界評語的影響，從而能自信快樂地過活。

另外，中學生也能領悟到，因種種情緒困擾而感到心情低落時，可嘗試與父母或師長等重要他人傾訴煩惱；由此，可幫助個人跳脫負面情緒，進而能以清明的思緒，梳理面對困擾的方式。再者，中學生亦會體悟到，書中的木頭人隨意嘲笑他人、標籤化別人的行為是不恰當的；是故，在日常生活中，應尊重每個人的獨特性，不隨意論斷他人；而且，當看到別人「出糗」時，也應同理對方，並伸出援手，而不應以此取樂。如此，不但可發揮利他助人的精神，也能有機會建立更深厚的友誼。

A08 讀者情緒困擾問題類型：
無法隨心所欲做自己而感到抑鬱不已

書名／幸運兒

作者／文・圖：幾米

出版社／臺北市：大塊文化

出版年／2014（二版）

SBN／9789867975737

◆ 內容簡介

　　主角董事長從小到大，皆一帆風順，是他人眼中的「人生勝利組」。某天，他的背上沒來由地長出一雙小翅膀，因而成為社會大眾注目的焦點。

　　然而，隨著翅膀越長越大，董事長的生活漸漸受到影響；例如，家人們皆對翅膀的羽毛嚴重過敏，於是他只好一人獨居於閣樓上；再如，翅膀讓董事長無法控制個人的行動，甚至讓其摔傷。為了董事長的安全，並讓他能專心上班，人們決定設置籠子，讓董事長的所有活動皆在籠中進行；主角順從他人的意思，但也因而感到抑鬱不已。

　　最終，董事長無奈接受眾人的決議，接受切除翅膀的手術。但在手術中，翅膀掙脫了綑綁，並帶著主角離開都市。多年後，人們逐漸遺忘了董事長；而主角則適應了翅膀的存在，並以「鳥人」的身份繼續過活，且經常以自己的能力，默默地協助有需要的人。

◆ 情節舉例

「做出決定的那個夜晚，暗夜裡雲層壓得好低好低，董事長一個人溜到大廈頂樓，枯坐許久，然而翅膀卻只是輕輕地拍，彷彿是在溫柔地安慰董事長……」

　　董事長在公司大樓頂樓枯坐的背影，以及其面前一朵巨大的烏雲，映照出主角頹喪、沉重的心緒，在漆黑的夜晚中無法消散。由此畫面，高中生會感受到董事長因決定切除翅膀，而感到徬徨與無奈的心情。

◆ 情緒療癒效用

認同

由故事內容可知，董事長無故長出一雙不受控制的翅膀，以致生活與工作皆受到嚴重影響。後來，主角無奈遵從他人的建議，將自己關在籠中。高中生會由此連結到，自己常身不由己地，活在師長與父母的期待或彼等訂定的規則中，既不敢表達個人的真實想法，也怯於突破現狀等，覺得此情形猶如董事長在籠中生活般；因此，會對書中所描述的情節，感到心有戚戚焉。

淨化

繪本中多處提到，董事長從小到大，乃至長出翅膀後，皆時常勉強自己迎合他人的期望，但其內心一直不被理解；由此情節，高中生能感受到主角失落的心情，更會替其難過。後來，董事長擁有了象徵自由的翅膀，但卻被翅膀所控制，雖然嘗試各種方式，仍無法擺脫翅膀造成的種種不便與困擾；由此，主角的心情，從一開始的困惑、無奈，到後來轉為苦惱、憂鬱與不自在，看到故事中這些情節的描述，高中生亦會跟著主角一起，心情低宕不已。

之後，董事長遵從人們的意見，將自己關在籠子裡活動，而由其在籠中，時而失落、時而哭泣等畫面，高中生不禁會覺得董事長格外可憐；同時，亦能充分體會到主角惆悵、孤單、鬱悶的心情，並為之感到擔心；尤其，董事長在接受切除翅膀手術前的失落模樣，更是令人心酸。最後，當董事長隨著翅膀飛離原有的生活，並以鳥人的樣貌幫助他人時，高中生會感覺到主角終於掙脫身不由己的生活，重獲自由與快樂，因而心生羨慕，並替主角感到高興。

領悟

本書敘述，董事長無故長出翅膀，使其不再過著一帆風順的生活，卻也將之帶離一直受壓迫的環境；事實上，此正是當代社會中，許多人會面臨的情況。換言之，個人的志向和興趣，就像書中的翅膀一樣，代表著一

種自由，可以按照自身的意願行事；而董事長的職責，則象徵原本要履行的工作。由本故事內容，高中生可以領悟到，個人需要在兩者之間尋得平衡。

　　此外，由董事長經過一番波折，最終隨著翅膀飛去的情節，也讓高中生體悟到，每個人在實踐理想與發展志向的過程中，多少都會感到害怕或猶豫，但仍應自我覺察心中的真實想法，並勇敢地追求夢想。再者，高中生亦可由此書認知到，如董事長般的高社經地位者，一樣會有遭遇挫折困頓的時候；因此，不必羨慕他人的成功際遇，縱使是平凡的一般人，也可以活得精彩而快樂。

自我認同——自我價值的困惑、自我定位混亂、負向自我概念、外在差異造成的負面情緒

書名／公主四點會來
（Die Prinzessin Kommt um Vier）
作者／文：渥夫迪特里希·許努兒
（Wolfdietrich Schnurre）
圖：羅桃·蘇珊·柏納
（Rotraut Susanne Berner）
譯者／洪翠娥
出版社／臺北縣：三之三文化
出版年／2003
ISBN／9789572089835

◆ 內容簡介

男主角在動物園裡，遇見被關在籠中，邋遢、骯髒的土狼小姐。牠向男主角表示，自己是被施了魔法的公主，需要獲得他人邀請，方能解除魔咒；男主角便邀請對方到家中作客。

土狼小姐依約前來，並狼吞虎嚥地享用男主角準備的美食。飽餐過後，土狼小姐為個人不顧形象的行為舉止感到不安，於是向男主角坦承，自己並非真正的公主。

然而，男主角並未因此而嫌棄土狼小姐，反而向對方表明，早就知道牠不是公主；同時，給予溫柔的安慰，並接納土狼小姐原本的樣貌。

◆ 情節舉例

「接著她的喉嚨好像梗住一樣，再也發不出聲音。手上握著一枝玫瑰花，不停的轉來轉去，一副很無助的樣子。『我……我根本就不是什麼公主。』」

畫面中，餐桌上杯盤狼藉，而土狼小姐趴在桌上，眼眶含著淚水；其身上充斥著許多蝨子、蚊子、蒼蠅等。高中生能從土狼小姐的神情，感受到其對自己撒謊的行為感到不安，且深深害怕真實的自己不被男主角接納。

◆ 情緒療癒效用

認同

土狼小姐在初始與男主角對話時，企圖隱藏不堪的自己，後來，則不小心展露了真實的一面，並為此感到不安。從本故事的情節，高中生能聯想起，個人怯於在他人面前展露真實自我的經驗，因而對土狼小姐的處境與心態感同身受。此故事內容，尤其能讓渴望獲得他人關注，又缺乏自信的高中生覺得，書中的土狼小姐和自己十分相似。

淨化

高中生能感受到土狼小姐起初非常寂寞，亦會可憐其身上散發異味、長眼翳等諸多毛病。之後，看到牠向男主角坦承自己並非公主的情節，高中生可感受到其懊惱不已的心情。而男主角原本已知道真相，卻不嫌棄對方的作為，會讓高中生感到窩心，並對土狼小姐能遇上可接受自己真實樣貌者，心生羨慕之情。閱讀完此書，高中生會覺得男主角不單安撫了土狼小姐，也彷彿安慰了自己的心；由此，個人原本膽怯、畏縮的心情，因為被理解、被包容而變得平靜，並逐漸從自我認同的糾結中釋放出來。

領悟

土狼小姐對自己的外貌感到自卑，因而覺得自身無法被他人接納，於是選擇對男主角撒謊，但卻引發了更加不安的情緒。由此，高中生可以領悟到，壓抑或隱藏真實的自我並不能解決問題；是故，不如肯定個人的價值，並且珍愛自己，充實個人內涵，讓自己成為值得交往的人。另外，土狼小姐向男主角撒謊的行為雖然不可取，但牠最後願意坦承個人的不當行為，終獲得男主角的接納。由此，高中生亦可學習土狼小姐勇於承認錯誤的態度，並真誠地向對方道歉，如此，當更有機會與他人建立友誼。

因不滿意自己而怯於展現真實的自我（高中）

A10 讀者情緒困擾問題類型：
難以接受自己的缺陷而感到不快樂

——自我價值的困惑、自我定位混亂、負向自我概念、外在差異造成的負面情緒

書名／失落的一角（The Missing Piece）

作者／文‧圖：謝爾‧希爾弗斯坦
（Shel Silverstein）

譯者／鍾文音

出版社／臺北市：玉山社

出版年／2000

ISBN／9789578246430

◆ 內容簡介

　　主角非常不滿意自己是個缺了一角的圓，於是，它動身尋找失落的那一角。由於缺了一角，主角無法快速地滾動，但能隨時停下來欣賞周遭的美好事物。在路途上，它遇到了許多缺角，但都基於種種原因，而無法和自己結合，不過它仍不放棄尋找。

　　之後，主角遇見了能嵌合的缺角，於是二者高興地結合成一個完美的圓，並快速地向前滾動。可是，主角卻發現，它再也不能自如地欣賞身旁的美好事物了。

　　於是，主角體悟到，尋得失落的一角看似圓滿，但其實內心並不快樂；另外，追尋的過程雖然辛苦，但能自在地與周遭的世界互動，乃是它快樂的源頭。最後，主角停下來，和辛苦尋得的缺角道別，重新享受原本逍遙自在的生活。

◆ 情節舉例

「於是他停了下來……把那一角溫和地從他身上放了下來，……然後他一邊走著，一邊如此溫柔地唱著：『喔，我要去找我那失落的一角，我要去找我那失落的一角，哇哈哈，向前行，去找我那失落的一角。』」

　　缺角的圓，放下和自己嵌合的缺角後，重拾自在快樂的日子。主角愉悅地唱歌的神情，能帶動高中生的心情，讓個人從追求完美的壓力中釋放出來，並跟著感到輕鬆與愉悅。

◆ 情緒療癒效用

認同

有著缺口的圓，因亟欲尋找能填補自身缺陷的一角，而四處奔走；一些不滿意自身缺點、渴望完美的高中生，會對此角色的負向自我認知以及其苦惱的心情，有高度的認同。此外，看到主角雖尋得夢寐以求的失落的一角，但卻漸漸發現生活並未如預期般，變得更快樂的情節，高中生也會由此憶起自己曾追求某些目標，但待達成後，內心仍感覺空虛的經驗，因而產生深深的共鳴感。

淨化

此繪本描述，缺角的圓不畏艱苦地追尋自己的目標，令高中生十分佩服主角的堅毅精神；同時，看著主角在路途上，歷經諸多挫折和險境，過程相當艱苦，讀者也會為它感到不捨與心酸。此外，看到主角後來雖達到成為圓的目標，卻不開心；於是，決定和已尋得的缺角道別，此等行徑亦會讓高中生佩服主角坦然放下的勇氣。最後，看到主角走出自己的路，不再被完美所侷限，而得以重返原有生活時的快樂模樣，高中生的心情也會隨之豁然開朗。

領悟

讀完此書，高中生能了解到，完美看似無懈可擊，但其實也是虛無的；人在追求完美時，容易失去其他寶貴的東西。是故，個人應當珍惜所擁有的，並嘗試欣賞人生際遇中的種種。如此，方能和主角一樣，跟自身的缺點和不完美共存，進而能擁有充實快樂的人生。再者，由主角在尋覓的過程中，因將一個缺角抓得太緊，而導致對方碎裂的情節，也讓高中生體悟到，應放寬心看待個人追求的目標，不該操之過急；而若抱持著隨緣以待的態度，結果可能會更加順利，此正是所謂「事緩則圓」的道理。

書名／**失落的一角會見大圓滿**
（The Missing Piece Meets the Big O）

作者／文・圖：謝爾・希爾弗斯坦
　　　　（Shel Silverstein）

譯者／鍾文音

出版社／臺北市：玉山社

出版年／2000

ISBN／9789578246447

◆ 內容簡介

　　失落的一角終日盼望有人將自己帶離原地。之後，其設法引起他人注意，但始終未能遇到可與自己契合成一個圓的另一半，因而失望不已。

　　其間，失落的一角找到速配的另一半，但結合成圓後，主角卻開始成長，與另一半不再相契合，因而被拋下；對此，主角覺得很哀怨。最後，主角遇見了無缺角的大圓滿，以為對方是自己期盼已久的另一半，但大圓滿僅是鼓勵主角靠自身的力量行走，便逕自離開了。

　　由此，主角體悟到，不必凡事皆依賴他人，自己即有向前進的能力；於是，它費了一番力氣嘗試自行滾動。漸漸地，失落的一角形體開始改變，在經歷一段辛苦的旅程後，終成為自主自在的大圓滿。

◆ 情節舉例

「失落的一角說：『但我有這些尖尖的角角，我沒有天生可以滾動的形體呀。』大圓滿說：『尖角會磨掉的，接著形體就會改變。現在，我該說再見了。也許有緣我們會再相遇…』說著，大圓滿就上路了。」

　　畫面中，失落的一角向大圓滿訴說自己天生無法滾動，需要他人協助，而大圓滿用言語鼓勵主角自行滾動後，便逕自離去。由此，高中生可以感受到，主角覺得靠自身的力量行動十分困難，因而衍生不安與無助的情緒。

自我認同
──自我價值的困惑、自我定位混亂、負向自我概念、外在差異造成的負面情緒

面對欲依賴他人而不可得的失落與無助情緒（高中）

◆ 情緒療癒效用

認同

起初，失落的一角並未嘗試靠自身的力量行動，只是在原地等待，此會讓高中生聯想起，個人曾被動地等待機會，但終告失望的經驗，因而覺得心有戚戚焉。此外，由失落的一角嘗試和許多有缺角的圓結合，但皆未能成功的情節，也會讓高中生回想起自己與周遭他人，因理念不合，而未能成為心靈契合的朋友之生活經驗。

淨化

失落的一角等待著適合的另一半，但多次希望落空，由此，高中生能體會到主角失望、不解、無助的心情。而後來，失落的一角開始嘗試靠自身的力量滾動前行，並漸漸磨去尖角，改變形體，終有了圓滿的結局；看到故事中，主角努力付出，並由初始的自卑，到後來轉為充滿自信，高中生也會為之感到高興和欣慰。此外，大圓滿開導與鼓勵主角的情節，會令讀者心生羨慕之情，並覺得主角遇見能指引自己未來方向的貴人，是相當幸福的事。

領悟

閱讀此書，讀者可以領悟到，與其依賴他人的協助，不如相信自己、積極主動地追求心中的目標；而在過程中，雖可能面臨許多艱辛與挫折，但倘若耐心以待，時日一到，機會總會到來。由失落的一角嘗試改變形體，終成功地自行滾動的結局，高中生能學習到，若要達到理想的自我，則個人必須勇於改變；同時，亦可體悟到，應設法將令人不適的稜角磨去，讓自己變得更圓融，如此，方得以建立和諧的人際關係。

A12 讀者情緒困擾問題類型：
因極力追求完美而感到壓力與情緒低落

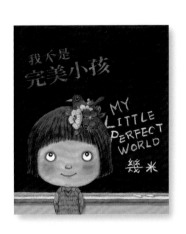

書名／我不是完美小孩
作者／文‧圖：幾米
出版社／臺北市：大塊文化
出版年／2010
ISBN／9789862131916

◆ 內容簡介

主角郝完美一直追求完美，其對自己的外表、個性與行為，以及日常生活中的種種事情，皆覺得不甚滿意，亦對父母和師長的要求，感到質疑與不解。

漸漸地，郝完美發現生活中有許多不完美之事，於是不斷地提出疑問，以檢視自己的角色定位，並反思完美的本質與意義為何。

經過一番思考後，主角了解到，完美的狀態並不能恆久存在，於是接受了個人無法一直保持完美的事實。自此，主角從追求完美的壓力中釋放出來，並能以正向的態度面對所處的世界。

◆ 情節舉例

「大人常常抱怨小孩讓他們頭痛，但他們相信嗎，他們也常讓小孩頭痛。」

主角郝完美皺著眉，臉上展露出對大人抱怨自己的困惑與不平。看到此內容，一些有相同困擾的高中生，會對主角的自白深感共鳴；此外，高中生亦能由主角的表情，充分感受到其心中的不服與不平之氣。

◆ 情緒療癒效用

認同

讀完此書後，一些高中生會認為主角郝完美像極了自己，不但重視外表，且總覺得自身不夠完美；但若未能將自己變得完美，即會感到煩躁不已；同時，高中生也能由此憶起，因堅持要形塑更完美的自己，而備嘗艱辛的過往經驗。此外，書中主角對大人的種種抱怨與不滿，例如主角自述大人讓自己感到頭痛、個人的想法與父母大相逕庭，或是大人力有未逮之事卻要求孩子完成等，相當貼近高中生的內心想法與感受，也會由此聯想到，自己和父母師長互動的相關經驗。

淨化

閱讀此書，高中生可以感受到，主角郝完美在不斷追求完美的過程中，一開始感到自卑和憤世嫉俗，亦充滿了既希望達到大人的期望，也渴望能活出自己的矛盾心理。從圖畫中主角的表情，高中生能體會到追求完美所帶來的壓迫感。然而，主角思考過後，終了解到絕對的完美並不存在，因而接納了現實生活中的不完美；看到如此的情節發展，讓原本以悲觀態度看待世界的高中生，心情跟著舒暢不少。另外，此書的筆調輕鬆幽默，能讓人在閱讀的過程中釋放壓力，並從負面情緒當中跳脫出來。

領悟

高中生可以由本書領悟到，世界上並不存在著絕對的完美，如同書中結尾所提，「小完美」能累積成「大大的完美」；而作者列出十多位大有成就的歷史人物，以及其不完美的人生經歷，由此應證，即使不完美，仍可成就許多偉大的事。因此，個人可以學習主角，轉換角度思考，不必事事堅持完美，且該接受自己不完美之處；同時，亦應充分發揮自身的特點與優勢，以展現個人的價值。另外，因遭受他人質疑與批評，而充斥著負面情緒時，宜先梳理自己的種種心緒，並試著尋找宣洩情緒與解決問題的管道；再者，亦應勇於提出個人的觀點，忠實地做自己，堅守信念；如此，方能活出屬於自己的人生。

B 負面情緒調適

◎ 孤單
◎ 困惑
◎ 鬱悶
◎ 失落
◎ 委屈
◎ 沮喪
◎ 憤怒

負面情緒調適──孤單、困惑、鬱悶、失落、委屈、沮喪、憤怒

書名／不快樂的母牛（Misery Moo）

作者／文：珍妮·威利斯（Jeanne Willis）

　　　　圖：湯尼·羅斯（Tony Ross）

譯者／林芳萍

出版社／臺北縣：上人文化

出版年／2004

ISBN／9789867517326

◆ 內容簡介

　　母牛哞哞個性悲觀，凡事皆抱持負面的看法，因而常衍生悲傷、難過等負面情緒。朋友小綿羊見狀，便嘗試運用許多方法，引導母牛正面思考，希望能使之快樂起來。

　　然而，母牛哞哞依舊不快樂；其後，小綿羊受到母牛影響，也開始以悲觀的態度，看待日常生活中的一切，且不時感到心情低落。因此，小綿羊決定不再和母牛見面。

　　後來，母牛哞哞發現小綿羊受自己影響而變得很不快樂，便以對方先前引導自己正向思考的方式，嘗試讓對方高興起來，並開始反省自己過往悲觀的生活態度。最終，兩位主角皆能以正向的思維，面對日常生活中的一切。

◆ 情節舉例

「小綿羊不忍心一直看到他的朋友那麼悲傷，於是他決定永遠不再和母牛哞哞見面了。」

　　畫面中，小綿羊癱坐地上，斗大的眼淚簌簌掉下來，母牛哞哞的照片則遭其撕毀，散落在周遭。由此，中學生能深刻感受到，小綿羊不得已割捨友誼的沉痛之情，並不禁會替小綿羊感到心酸與難過。

因負面的思考方式而造成的不快樂情緒（國中／高中）

◆ 情緒療癒效用

認同

母牛哞哞個性悲觀，不斷抱怨周遭的事物，且經常心情低落；由此情節，一些中學生會聯想到，自己亦偶爾會以悲觀態度作出負面思考，或會受到無故衍生的負面情緒所影響，而覺得母牛與個人的情況極其相似。此外，看到兩位主角皆在朋友傷心難過時，給予陪伴和勸慰的畫面，會讓中學生想起，朋友之間互相安慰的經驗。

淨化

在故事中，母牛總是無精打采，神情鬱鬱寡歡；而小綿羊用盡辦法，皆無法讓母牛開心起來，最終，其情緒亦受到母牛影響；由此故事情節，中學生會感受到兩位主角不快樂的心情。後來，母牛發現小綿羊非常難過，便向對方表達關心之情；畫面中，母牛終與小綿羊一起展露笑容的模樣，會讓中學生感染到快樂的情緒。同時，看到母牛傷心難過時，有朋友小綿羊的關心與陪伴，中學生亦會為牠們的美好友誼感到溫馨。此外，本書畫風誇張逗趣，容易讓中學生閱讀時心生愉悅感。

領悟

主角母牛因負面思考的習慣，導致時常陷入情緒低潮，並讓朋友小綿羊也受到負面影響；中學生會由本故事反思，個人平日產生負面情緒的源頭與類型有哪些，並檢討自己情緒調適的方式是否恰當。此外，中學生亦可明瞭，悲觀的想法與生活態度，不但容易讓自己不快樂，亦可能會影響周遭他人；因此，個人可先釐清自身負面情緒的原由，並嘗試轉換角度思考，藉以自行調適心情。而由小綿羊與母牛的互動過程，中學生可體悟到，當周遭他人情緒低落時，自己不妨主動表達關心，或給予對方安慰與陪伴，如此，能讓當事者感受到溫暖有力的人際關懷與社會支持，從而得以協助對方跳脫負面情緒。

負面情緒調適──孤單、困惑、鬱悶、失落、委屈、沮喪、憤怒

書名／尼可丹姆的一天（Nicodème）

作者／文：阿涅絲・拉侯許（Agnès Laroche）

　　　圖：史黛凡妮・奧古斯歐

　　　（Stéphanie Augusseau）

譯者／李旻諭

出版社／臺北市：聯經

出版年／2014

ISBN／9789570843729

◆ 內容簡介

　　主角尼可丹姆因覺得自己長得不夠高大強壯，而缺乏自信，導致其在遭遇被同學霸凌、受師長責難等生活中不順遂之事時，常壓抑內心的負面情緒；此外，主角亦不敢向心儀的女同學示好。

　　在面對諸多不如意事件時，尼可丹姆往往藉由幻想自己是能解決一切的超人，來抒發心中的負面情緒，而未實際面對問題。經過一番思考與沉澱後，主角明白，在現實生活中，自己並不能成為超人，所有問題得靠自身的能力解決。

　　有了如此的認知後，尼可丹姆一一釐清所遭遇問題的癥結點，並以自我肯定、及早準備的方式，避開先前遭遇不順遂事件的情境；同時，主角亦鼓起勇氣，反抗霸凌者，並向心儀的女同學表白自己的心意。

◆ 情節舉例

「尼可丹姆站起來，打開燈看著鏡中的自己。『我叫尼可丹姆。我不高大，我不強壯，但是明天，我要送一束小雛菊給薇歐蕾特！』」

　　畫面中，尼可丹姆坦然地站在鏡子前，鏡中反映出主角自信地微笑著，並對自己信心喊話，以達到「自驗預言」的效果。由此畫面，中學生可感受到，主角已然釋放了一直以來壓抑在心中的負面感受，並能轉而肯定自我，同時鼓起勇氣面對日常生活中的挑戰。

◆ 情緒療癒效用

認同

　　主角尼可丹姆常覺得自己不夠強壯，因而缺乏自信，不敢面對生活中的種種困擾問題；另外，主角也常幻想，若能變成又高大又強壯的超人，煩惱即可迎刃而解；此種心態十分貼近一些中學生的情況。尤其，看到主角遭受霸凌，委屈地壓抑自己，不敢反抗的情景，亦會讓有類似經驗的讀者，照見個人的處境。

淨化

　　故事描述，尼可丹姆遭遇一連串不如己意的事情時，總是紅著臉、低頭不語，只敢在想像中反抗，由此繪本情節，中學生會感受到主角心中壓抑的憤怒與委屈。而當尼可丹姆思考過後，決定正視自己的不足之處，並積極面對問題，其情緒和心態亦因此由負面轉變為正面；閱讀至此，中學生會替他感到高興。最後，主角從自卑變得有自信，並想出種種問題的解決之道，且能以肯定自我且不傷他人的方式，堅定地表達自己的想法；最終更能鼓起勇氣，向心儀的對象示好；由此，中學生會佩服尼可丹姆的勇於改變，也會覺得結局溫馨感人。如此，隨著書中故事情節的發展，讀者個人心中壓抑的負面情緒亦會隨之舒緩。

領悟

　　看到此故事，中學生可領悟到，個人應勇敢地面對生命中的各種挑戰，並妥善地解決問題，以讓自己更加強壯；而一味想像與等待，則無濟於事。此外，在遭遇挫折時，亦不需壓抑自我，而可學習主角尼可丹姆，一方面找出問題的癥結點，以對症下藥，改善現況；另一方面，亦應勇於向他人表達自己的想法，或是尋求父母、師長等之協助；如此，個人心中的不滿、憤怒等負面情緒方能獲得舒緩，同時，得以及早走出困局。

遭遇困難與挑戰時，不知如何面對而自我壓抑（國中／高中）

B03

讀者情緒困擾問題類型：
面對生活中的種種失落事件而衍生的沮喪感

負面情緒調適——孤單、困惑、鬱悶、失落、委屈、沮喪、憤怒

書名／走在夢的路上（El viaje de Pipo）

作者／文‧圖：刀根里衣

譯者／熊苓

出版社／臺北市：格林文化

出版年／2015

ISBN／9789861896427

◆ 內容簡介

　　小蛙皮波因為喪失了作夢的能力，而感到十分焦慮與難過。一天晚上，其在睡不著數羊時，遇到一隻知道如何進入夢境的小羊；於是，皮波跟隨對方展開一段旅程，期能藉此恢復作夢的能力。

　　在旅程中，皮波和小羊進入一個個美麗的夢境，聆聽不同動植物們的夢想和願望。之後，皮波獨自一人往前行，小羊則留在原地；但皮波卻覺得，沒有小羊同行，自己變得很寂寞。

　　此時，其他動物告知皮波，小羊正在尋找自己。最終，皮波透過不同的夢境與小羊重逢；同時，其亦體會到自己和小羊之間的深厚情誼，並發現自身作夢的能力已經恢復了。

◆ 情節舉例

「四月來了，大地一片綠意，散發春天的氣息。皮波發現，在這趟旅途中，他變得很喜歡小羊，而且他們變成好朋友。他很開心，因為不但找到了朋友，還恢復作夢的能力。他往小羊的方向跑去。」

　　小蛙皮波察覺到自己對小羊的思念之情，因而大力邁開腳步往前奔跑，期能趕快到達小羊身邊。從皮波展露出堅定而愉悅的神情，中學生可感染到主角的正面情緒，並期待主角和小羊重逢的時刻。

◆ 情緒療癒效用

認同

　　繪本敘述，小蛙皮波與小羊遊歷不同的夢境後，兩人分開並再度重逢的故事。透過此書，中學生會聯想到諸多不同面向之生活經驗，例如由皮波想要恢復作夢的能力，因而踏上旅程的情節，能連結到個人心中希冀實現某些願望的感覺；或是意欲透過旅行來抒解生活壓力的念頭；而過程中，皮波與小羊一度分離，而覺得孤單寂寞的情節，也會讓中學生聯想到自身錯過或失去某些人事物的失落經驗。

淨化

　　主角皮波一開始喪失了作夢的能力，在閱讀時，中學生會感受到主角因失去個人原本擁有的，而覺得無所適從，並衍生憂傷、沮喪、失落等負面情緒。後來，小羊引領主角同行，踏上穿越夢境的旅程時，中學生能看到主角重燃希望後的振奮心情，並對兩人旅程中的所見所聞感到新奇。而在閱讀到皮波與小羊分離的情節時，中學生會覺得小羊孤單一人留在原地十分可憐，同時也感受到皮波獨自前行的寂寞。最後，當看到兩人重逢並互相擁抱的美滿結局，中學生也會覺得十分高興和感動。另外，此繪本的圖畫極具美感，藉由不同色調，充分呈現出角色們的種種情緒狀態，能讓讀者心境平和，並感到溫暖與快樂。

領悟

　　閱讀本書，中學生可以領悟到，當個人覺得心情低落與不安，或遭遇困境時，他人的陪伴與支持是相當重要的；無論是實質上的陪伴，或是心靈上的安慰，皆有助於個人走出情緒低潮，並得以重新找到生活的方向。因此，個人可嘗試敞開心房，尋求父母、師長或親友等之協助。另外，由主角皮波初始失去作夢的能力，卻因而獲得一段真摯友誼的情節發展，中學生亦能體悟到，上天關了這一扇門，定會為自己開啟另一扇窗。

B04 讀者情緒困擾問題類型：
面對沒來由的壞心情

負面情緒調適——孤單、困惑、鬱悶、失落、委屈、沮喪、憤怒

書名／壞心情！
（Der Dachs hat heute schlechet Laune!）
作者／文：莫里茲・培茲（Moritz Petz）
　　　圖：艾美莉・賈可斯基（Amélie Jackowski）
譯者／沙永玲
出版社／臺北市：小魯文化
出版年／2007
ISBN／9789862110089

◆ 內容簡介

　　主角獾一早醒來時，感覺心情煩躁不已。在思考過後，獾決定要出門，以讓其他動物知道自己的壞心情，期望能因此獲得關注。

　　一路上，獾對遇到的動物們惡臉相向，此舉令大家錯愕不已。發洩完負面情緒後，主角回到家中工作，壞心情亦得以漸漸消散。於是，牠外出欲尋找動物們一起玩樂，卻發現大家皆粗暴地對待自己。為此，獾感到難過不已，且苦惱著不知如何解決問題。

　　之後，獾向來訪的畫眉鳥傾訴自己的苦惱。透過對談，獾察覺到先前向大家亂發脾氣的不當行為；於是，牠請畫眉鳥聚集心情惡劣的動物們，參加「壞心情派對」。在派對上，獾誠心請求大家原諒自己；動物們都接受了獾的道歉，大家又和好如初。

◆ 情節舉例

「早餐時，獾又想了一下。如果沒人注意到，那麼壞心情又有什麼意思呢？他想，每個人非得曉得我的感覺有多糟才行。於是獾出去，用力把門砰的一聲關上。」

　　左頁的插圖中，獾因心情不好，用力捶桌子，讓盛食物的碗傾倒了；右頁則是獾氣沖沖地出門，甩門的勁道讓門把幾乎脫落，信件也從門旁的郵箱裡飛出來。透過這些畫面，中學生可以看到獾以各種方式發洩負面情緒，且也能聯想到，自己在心情不佳時，亦會像獾一樣，將怒氣轉移到無辜的人事物上，因而心生共鳴。

面
對
沒
來
由
的
壞
心
情
（
國
中
／
高
中
）

◆ 情緒療癒效用

認同

本書描述獾因莫名的壞心情，而到處轉移怒氣，以致惹火了動物朋友們。正值青春期的中學生，會覺得自己有時亦像獾一樣，因為小事情導致心情惡劣，或容易有起床氣，想要透過甩門、摔東西、大吼大叫等方式發洩，並希望藉此獲得別人的關心；而待心情舒緩後，才發現得罪他人，故十分能理解獾的心情與行為。另外，由此故事，中學生亦會想到自己或周遭他人，因未做好情緒管理，而影響團體活動進行的情況。

淨化

在繪本中，獾一開始不想因沒來由的壞心情干擾到他人，但又意欲得到關注，中學生能由此情節理解主角的矛盾心情。而看到獾到處遷怒，讓大家莫名其妙地受氣，讀者亦會感受到動物們無端受到波及的委屈。待獾發洩完負面情緒後，發現平日裡友好的動物們，皆惡言惡語地對待自己。閱讀到此情節，中學生可以感受到獾的尷尬、難過、後悔及慚愧的心情。之後，獾在畫眉鳥的幫助下向動物們道歉，看到此故事情節，會令人佩服主角認錯的勇氣，並開心牠擁有一位能傾訴心事，並提供實質協助的朋友。最後，看到獾得到大家原諒，森林裡的動物們言歸於好的結局，中學生會覺得鬆了一口氣，也會為獾感到高興；同時，中學生亦能從畫面中，感受到動物們和樂融融的溫馨之情。

領悟

看到獾因壞心情而隨意遷怒，導致與朋友產生嫌隙的故事，中學生可以了解到，應加強個人之情緒管理，學習以適當的方式來發洩負面情緒，而不宜像獾一樣，將惡劣情緒轉移到不相關的人事物上。由本故事，讀者亦可學習到舒緩負面情緒的適當方式，例如，可仿效獾藉由專注工作來轉移注意力，或是對相熟的朋友傾訴等。再者，做錯事情或不小心得罪他人時，應盡早向對方道歉；且態度宜誠懇，以避免事端擴大，進而能維持良好的人際關係。

負面情緒調適──孤單、困惑、鬱悶、失落、委屈、沮喪、憤怒

書名／月亮忘記了
作者／文·圖：幾米
出版社／臺北市：大塊文化
出版年／2007
ISBN／9789862130124

◆ 內容簡介

月亮從天上掉下來，流落人間，夜晚因而變得一片漆黑。為此，人們感到非常恐慌。有男孩發現了變得小而灰暗，且失去記憶的月亮，於是將之帶回家照顧。

一段時間後，月亮再度散發溫暖的光芒，男孩亦滿足於月亮的陪伴。後來，男孩嘗試幫助月亮想起往事，使之可以重返夜空中。漸漸地，月亮的記憶恢復，體形越變越大，以致無法進入男孩家中，對此，兩人皆覺得十分感傷與難過。

恢復記憶的月亮帶著男孩，穿越風雨回到天空，兩人享受了最後一段快樂相伴的時光。由此，男孩領悟到，兩人雖然無法如往常般天天相伴，但在其內心深處，會永遠記得他的月亮好友，以及兩人相處的美好回憶。

◆ 情節舉例

「月亮輕輕地轉動，男孩慢慢地睡著，夢中依稀聞到一股淡淡的百合花香。」

畫面中，男孩安穩地睡在輕輕轉動的月亮上；雖然在日常生活中，不再有月亮陪伴，但在夢中，他依然覺得月亮朋友在自己身旁，因而露出滿足的笑容；由此，高中生讀者可以感受到這段純真友誼所帶來的溫馨之情。

◆ 情緒療癒效用

認同

男孩的父母工作忙碌，較無暇關注他；另外，由於男孩晚上忙於照顧和陪伴月亮，導致其在學校中無法投入學習，也越來越少與同學互動；因此，他經常孤單一人，事事皆須獨自處理，且覺得無人能了解自己的感受。此等故事情節，會讓一些高中生覺得，男孩與父母、同學疏離的孤單處境，和自己如出一轍。

淨化

看到男孩和月亮互相作伴的情節，高中生能體會到兩人心中孤單，渴望有人陪伴的心境；同時，也能與之一同感受到友情的溫暖，個人心中因而充滿溫馨與愉悅的感受，進而忘卻自身的苦惱。後來，月亮漸漸恢復，且能重回天上，男孩知道即將失去朋友陪伴，但一抬頭仍能看見月亮，因此還是覺得很滿足；由此情節，讀者可以體會男孩既開心又難過的複雜心情；同時，高中生亦會羨慕男孩與月亮的真摯友誼。而全書所營造出的純真氛圍，亦能令讀者心生感動。

領悟

由月亮與男孩相遇、相知，最終道別的故事，高中生能體會到，在成長的過程中，事與願違的經歷無可避免，每個人皆需面對不同的挑戰；過程中，縱使會有艱辛難熬的時刻，但個人亦會因此而有所成長。另外，讀者可以了解書中結尾所言，「看不見的，不表示不存在；消失的，不見得就會遺忘」；我們並非身處在一個「眼見為憑」的世界，當曾經擁有的人事物不復存在時，個人雖然會感到惆悵與遺憾，但雙方曾經的美好回憶仍會永存於心，並成為自己繼續前進的勇氣和力量。

負面情緒調適──孤單、困惑、鬱悶、失落、委屈、沮喪、憤怒

書名／因為心在左邊
作者／文‧圖：恩佐
出版社／臺北市：大田
出版年／2004
ISBN／9789574555826

◆ 內容簡介

　　本書以不同角色內心獨白的方式，呈現多篇獨立的小故事以及單頁圖文，表達出作者對現實生活中，生命成長、愛情、友情、社會等方面的種種現象之反思與體悟。

　　本書的內容廣泛，每頁的圖畫，畫風溫柔，且有著天馬行空的想像；同時，搭配簡潔、細膩、內斂、冷靜的文字，娓娓敘述書中角色對生活中的種種困惑，以及對周遭人事物的思索與情緒感受。

　　透過書中不同內容，讀者能探索與梳理個人的內心，並釐清自己的心理感受，從而能平和淡定地看待自身所處的世界。

◆ 情節舉例

「街上出現了一台提領機　是專門提領自己的隨心所欲　……　貪心的我想了很久　最後我做了一個決定　我說就領一個以前的我吧　我想得到的是所有失去的」

　　畫面中，人們正在排隊，準備到一隻張開大口的青蛙面前，領取自己所欲得到之物，並好奇地四處張望；而已領到物品的人們，則神情愉悅地離開。由此圖文的敘述，一些高中生會覺得，自己如同書中的「我」一樣，亦曾因對過往的決定感到疑惑，而有欲回到過去的念頭，故能深刻體會此篇章所傳達的遺憾與惆悵感。

◆ 情緒療癒效用

認同

本書的內容包含生命成長、愛情、友情、社會等方面的主題，高中生可從閱讀中，連結至個人的日常經驗與情緒困擾問題。而作者透過圖畫與文字，精確地表達出對諸多問題的詮釋、思考和意念，會讓高中生覺得作者道出不少個人難以言喻的心聲；例如，對真誠人際關係的嚮往、擺脫現實社會體制束縛的渴望，以及對未來發展的徬徨、不安及無助感等，因而對書中的不同篇章感到心有戚戚焉。

淨化

本書一方面呈現寫實又具想像力的圖畫，一方面運用簡潔、含蓄、具詩意韻味的文字，加上肯定句或疑問句的呈現方式，使高中生在閱讀時，感到圖片與文字在心裡迴盪，且個人的情緒感受被同理；同時，也讓讀者覺得彷彿在自我對話，因而能觸動內心，使情緒跟著波動不已。高中生可發現個人在閱讀的過程中，時而惆悵，時而感動，時而感覺有趣，時而感到被安慰；如此，讓個人得以釋放出原本壓抑於內心的種種負面情緒。

領悟

高中生會因閱讀此繪本，而覺得需好好思考，並深切體味自己生命中的困惑與愁緒；同時，也應放下執著，調適心情，以避免陷入負面情緒當中；再者，讀者也能領悟到，該傾聽個人內在的心聲，並嘗試以多個不同角度思考，如此，當可梳理問題，且尋得改善的方法。由本書，高中生亦可明瞭，在實踐理想的過程中，不該急躁地強求，而應視個人專長的能力與身心狀態，循序漸進，再加上等待的耐心與智慧；如此，時日一到，當可找到屬於自己的舞臺。

負面情緒調適──孤單、困惑、鬱悶、失落、委屈、沮喪、憤怒

書名／幸福練習簿
作者／文・圖：恩佐
出版社／臺北市：大田
出版年／2007
ISBN／9789861790527

◆ 內容簡介

　　本書透過簡單易懂且具哲理的文字，搭配優美溫馨的圖畫，傳達「心在哪裡，幸福就在哪裡」的概念。

　　作者精準地描述，人們在日常生活中所遭遇的不如意之事，以及諸多情緒困擾；同時，亦深刻地描繪出，書中角色們遇到問題時的種種心緒。

　　而作者亦在全書中提出，「生命中的酸甜苦辣」，正是獲得幸福的必經過程。是故，若個人可知足常樂，並能面對與接納人生中的挫折與困頓，最終，會發現幸福無所不在，甚至垂手可得。

◆ 情節舉例

「當我試著冷靜看待　我發現每一場風暴　背後都有個　可以平息的源頭」

　　畫面中，女孩被一台較自己體型更大的吹風機吹得無法站穩。高中生可以由此頁的圖畫與文字中體悟到，在遭遇困難時，雖然內心煎熬難受，但若能找出問題的癥結點與源頭，即有如拔除了吹風機的插頭一樣，讓個人得以脫離苦惱的情境。

◆ 情緒療癒效用

認同

此繪本透過圖文並茂的篇章，敘述在現實生活中，許多人不斷追求幸福，但過程中也經常遭遇不順心之事。在閱讀時，高中生會覺得書中的內容十分貼近自己，且特別對其中有關愛情、友情等主題的篇章有所共鳴，並會勾起過往的相關回憶。

淨化

繪本作者運用極其精簡且深具哲理的文字，再佐以樸實的圖畫，準確地描繪個人在日常生活中，面對不同事件的諸多心境；閱讀此書時，高中生會感受到書中傳來的淡淡惆悵感。同時，遭遇挫折與不順心事件的讀者，也能體會到作者所給予之溫柔、貼心的安慰；因此，看完此書後，個人內心的負面情緒會得到舒緩與釋放，並覺得溫馨和感動。

領悟

由此繪本，高中生得以領悟到，當遭遇情緒困擾問題時，若一直陷在負面情緒中，對解決問題毫無助益；因此，不如放鬆自己，緩和當下的負面情緒，並面對內心的真實想法。另外，個人亦可學習書中對不同問題的處理方式，並嘗試轉換角度思考，如此，即可為情緒找到出口，並能尋得解決問題的方法；最終，得以重新找回面對人生種種挑戰的勇氣與正能量，進而能擁有真正的幸福與快樂。

書名／**最好的地方**（The Best Place）
作者／文·圖：蘇珊·梅朵（Susan Meddaugh）
譯者／柯倩華
出版社／臺北市：三之三文化
出版年／2008
ISBN／9789867295224

◆ 內容簡介

　　主角狼覺得家中陽台視野所及的風景，是世界上最好的。然而，有動物告知，外面的世界仍有許多美景；於是狼決定出門旅行，並將房子賣給兔子夫妻。

　　到處旅行後，狼仍然最喜歡原本房子陽台的風景，遂返回舊居，向兔子夫妻提出買回房子的請求，但未能如願；因此，牠在房子外大聲咆哮與哀號，讓昔日的鄰居皆受到驚嚇。在宣洩情緒後，狼感到懊悔不已，便向大家道歉。然而，動物們誤解了狼的意圖，更合力將狼驅趕至森林深處。

　　在森林中，狼意外發現更美的風景，遂決定於該處居住，並寫信再次向兔子全家道歉。由此，鄰居們皆理解狼的歉意，於是紛紛前來協助主角建造新房子。在大家的齊心協力下，終蓋成了狼心目中最美好的家園。

◆ 情節舉例

「終於，狼安靜下來。森林裡靜悄悄的。『唉，糟了！』狼暗自想：『我發脾氣發得太過分了。』他非常羞愧，急急忙忙跑走了。」

　　畫面中，動物們在看見狼暴跳如雷的行為後，驚嚇得不敢靠近；而冷靜下來的狼，則是覺察到自身的失當行為，於是夾著尾巴、低著頭，無地自容地跑走。由狼臉上的神情，高中生能感受到，主角因亂發脾氣，影響了他人，而充滿羞愧、尷尬和懊悔之意。

◆ 情緒療癒效用

認同

故事中，狼因未能如願買回老房子而大發脾氣，此讓高中生憶起個人在期望未能達成，或遭遇挫折時，有時亦和主角一樣，會透過大吼大叫來發洩心中的不快，故十分能同理狼的行為。另外，由狼原本希望向兔子一家道歉，不料卻引發誤會的情節，高中生亦能聯想到，平日與人互動時，亦常因不瞭解而誤會彼此，甚或產生人際衝突，故心生共鳴。

淨化

主角因無法買回喜愛的房子而暴跳如雷，讀者能從中體會到狼焦躁、憤怒、無助的情緒。之後，看到狼因驚嚇到他人而感到羞愧與懊惱，高中生亦能感受到主角內心的種種負面情緒。最後，故事敘述，狼找到新居的地點，並誠心地再次向兔子一家道歉；由此，動物們皆理解了主角的心意，於是大家一起協助狼建造新家；看到此情節，高中生一方面會為這場風波終得以平息，而跟著高興起來；另一方面，亦會對狼勇敢認錯、誠心道歉的行動感到十分佩服。

領悟

由此故事，高中生能體悟到，個人不必耿耿於懷所失去者；事實上，換個角度思考，即可發現人世間處處皆有美好的事物，等著自己去發掘，此即為「塞翁失馬，焉知非福」的道理。另外，由主角率爾決定出售房子的情節，高中生可以領悟到，凡事不應過於衝動，而是要經過深思熟慮，再作出行動。再者，許多問題的產生，原因皆在於狼未能管理好自己的負面情緒，對此，高中生也能引以為鑑。

繪本亦描述，主角原本希望向兔子一家道歉，卻因表達方式不當而遭到誤會，高中生能體會到，若與他人產生嫌隙，意欲道歉時，應運用適當的溝通技巧，以免造成更大的誤解。另一方面，動物們因之前看見狼亂發脾氣，留下負面印象，導致後來誤解主角道歉的意圖；由此反例，高中生亦可領悟到，在與人互動時，不應僅由外顯行為，或憑藉過往的印象，便先入為主地論斷他人。

書名／躲進世界的角落
作者／文·圖：幾米
出版社／臺北市：大塊文化
出版年／2008
ISBN／9789862130766

負面情緒調適——孤單、困惑、鬱悶、失落、委屈、沮喪、憤怒

◆ 內容簡介

　　小男孩因感到不被大人理解，而覺得委屈與不快樂，於是決定躲進世界的角落，讓自己獨處，以抒解來自周遭的壓力，並獲得心靈上的釋放。

　　在世界的角落中，小男孩看到許多孩子，亦有著各式各樣的煩惱與憂愁，但他們皆能在此處獲得撫慰以及解決問題的方法，並重新找回面對挫折的正能量。

　　由此，小男孩經過自我沉澱與思考後領悟到，無論世界多麼紛擾不安，每個人都有能力解決問題，並讓世界變得更美好。最終，小男孩撫平了個人的負面情緒，並找回面對日常生活的勇氣，於是走出世界的角落。

◆ 情節舉例

「對啦，反正大人永遠都不會錯，全都是我們小孩不乖啦。又不是只有你們有煩惱，其實我也有很多煩惱啊！」

　　主角小男孩臉上掛着煩躁的表情，一邊抱怨大人不了解自己，一邊穿上衣物，收拾背包，預備離家，躲進「世界的角落」。由此頁的畫面，高中生會感受到，主角道出了個人內心世界無法被大人理解的委屈與怨懟之氣，因而心生強烈的共鳴。

◆ 情緒療癒效用

認同

書中描述主角小男孩因對生活感到厭煩，想要獨自冷靜，而躲進世界的角落之情節，會讓高中生聯想到，自己在面臨升學壓力，或內心充斥著負面情緒時，亦同樣希望能有一個可獨處、暫緩壓力的空間。同時，高中生亦能體會小男孩有時既想要一人獨處，有時又害怕寂寞，希望有人陪伴的矛盾心理。再者，由主角對世界的諸多思考與困惑，高中生會覺得，個人對所處的世界，亦有著種種疑問與不解。此外，小男孩抱怨大人過於操心自己，亦讓一些高中生覺得與自身的情況相似。

淨化

在故事一開始時，高中生能感受到小男孩心中充滿煩躁、委屈、不滿的情緒；而當主角進入世界的角落後，看到眾人皆有著不同的困擾，讓主角覺得，並非只有自己遭遇如此的狀況，因而較為釋懷；由此，高中生也會跟著釋放心中的負面情緒。最終，小男孩願意坦然樂觀地面對現實，並抱持正向的信念，堅持到底；閱讀至此，高中生會心生希望感。此書描繪的「世界的角落」，畫面色調多彩繽紛，讓人閱讀後，能引發內心的平靜、安穩、恬適等正面情緒，並有重新得力之感。

領悟

由此書，高中生會領悟到，個人可以適度地「躲進世界的角落」，停下手邊的工作，減少忙碌的程度，並透過閱讀或做自己喜歡的事，來放鬆心情；待獲得能量後，便應勇敢面對日常生活中的一切。另一方面，高中生也能由此書更加明白，一直逃避待解決的問題，並無濟於事，故應以更樂觀的態度面對現實，且不輕言放棄，正如繪本所言，「儘管這個世界破洞百出，但…每個破洞都會找到一個補洞的人」；亦即，大部分的問題，都會有相對應的解決方式。再者，由小男孩伸手去補牆上破洞的情節，高中生可以體悟到，無論所面對的世界多麼困難，也不要妄自菲薄，覺得自己過於渺小；事實上，任何人都可以發揮應有的作用，只要願意付出，集眾人之力，終能讓世界變得更美好。

C 人際關係

人際關係——結交新朋友、人際互動、朋友吵架、群體生活的摩擦、霸凌

書名／我不喜歡你這樣對我！
（Jungle Bullies）

作者／文：史蒂芬・柯洛（Steven Kroll）

　　　圖：文生・阮（Vincent Nguyen）

譯者／孔繁璐

出版社／臺北市：大穎文化

出版年／2011

ISBN／9789866407659

◆ 內容簡介

　　一隻大象想要獨佔池塘，於是強迫正泡在池塘裡的河馬離開。河馬因對方體型較自己大許多而感到害怕，故只好讓出池塘。心有不甘的河馬遇見體型較自己小的動物，便欺凌對方；由此，森林中的動物們，一一受到體型更大者欺負。

　　後來，一隻小猴子遭到獵豹強奪所處的空間，遂向母親傾訴。母親告訴小猴子，儘管對方較自己強壯，仍應勇敢反抗對方的欺凌行為。於是，在媽媽的陪同下，小猴子折返原處，明白告訴獵豹不應獨佔空間，並邀請對方一起分享。

　　獵豹接受了小猴子的提議，而其亦想到先前遭他人驅趕的情形，於是去找恃強凌弱的動物說理。由此，動物們皆察覺到自己和他人的不當之處，並找欺凌自己的動物說理。最終，始作俑者大象亦認知到自身的失當行為，因此，願意與所有動物們分享池塘的空間。

◆ 情節舉例

「小猴子一跳跳進了媽媽的懷中。『媽咪，』小猴子說，『獵豹欺負我，他不讓我待在我的那棵樹上。』媽媽回答他：『寶貝，你必須勇敢的對抗這種欺凌的行為。現在你回到獵豹那裡，告訴他樹枝上的空間夠大，足夠容納你們兩個。』」

　　畫面中，小猴子坐在母親的腿上，傾訴著方才被獵豹趕走的遭遇。而媽媽臉上，亦呈現出其替小猴子感到難過的表情，且其告訴孩子，可如何應付他人不合理的要求。閱讀至此，國中生會覺得畫面十分溫馨，並感覺自己彷彿也受到猴子媽媽的安慰一般。

◆ 情緒療癒效用

認同

故事敘述，一隻大象仗恃著自己體型大而強壯，於是把正在使用池塘的河馬趕走，以一人獨享。另外，當河馬、獅子等動物，在受到欺凌後，皆轉而欺負較自己弱小者，以發洩心中的不滿，此情節讓曾有相似遭遇的國中生深感共鳴。同時，在學校生活中，此等因搶佔公共資源而發生衝突的狀況不時發生，亦讓國中生心生似曾相識之感。

淨化

一開始，河馬被大象趕走時，國中生會感覺牠很可憐；同時，亦會對大象霸道的行為，心生氣憤、同仇敵愾之感。然而，看到河馬轉而驅趕其他動物，由此引發了一連串的欺凌事件，國中生亦會覺得，小猴子無故遭殃的情況很可憐。之後，在媽媽的鼓勵下，小猴子當面指出獵豹的不當行為，更藉此讓對方反省，從而遏止動物們互相欺凌的類似情況。由此情節，國中生會佩服小猴子的勇敢與行動力；同時，亦十分欣賞猴子媽媽智慧的教導。最後，動物們皆意識到獨佔資源的不當，並願意與他人一起分享的結局，亦會令國中生感到高興。

領悟

故事中，小猴子勇敢面對霸凌，最終平息了森林中一連串以大欺小的行為。由此，國中生能領悟到，當遭遇到資源被他人搶佔之相似狀況時，不應退讓，而是可藉由道出對方的不當之處，勇敢地據理力爭，從而遏止他人的欺凌行為。此外，國中生亦能學習小猴子，在遭到他人欺凌時，便向可信賴的長輩，如家長、師長等求助，讓彼等協助自己面對困擾，而不宜向無辜的第三者發洩負面情緒。

再者，曾欺凌他人的國中生，亦能由此故事體悟到，佔用資源雖然能得到一時的快樂，但卻會因此讓別人無辜受害。因此，應學習與人分享，並培養換位思考的同理心和溝通能力，從而能維持良好人際關係，並減少對立與衝突，讓校園生活過得更快樂。

人際關係——結交新朋友、人際互動、朋友吵架、群體生活的摩擦、霸凌

書名／花貓與黑貓（トラネコとクロネコ）
作者／文・圖：宮西達也
譯者／劉康儀
出版社／臺北市：小魯文化
出版年／2015
ISBN／9789862115329

◆ 內容簡介

　　花貓球球與黑貓布魯斯，因爭奪一顆桃子而引發衝突。於是兩人互相較勁，彼此炫耀自己的厲害之處，同時也嘲笑對方的種種弱點。

　　後來，兩人決定比賽跑步。一開始，牠們的速度不相上下，但快抵達終點時，花貓球球被石頭絆倒，受傷倒在地上。黑貓布魯斯見狀，馬上背起球球就醫。

　　在路途中，球球與布魯斯看到其他動物也為了一顆桃子僵持不下，令兩人想起之前爭吵的情形；由此，花貓與黑貓也了解到，朋友之間應互相體諒與包容；於是，兩人和好如初。

◆ 情節舉例

「布魯斯和球球，你看我、我看你，不好意思的笑了。球球說：『布魯斯，對不起。』布魯斯也說：『球球，我才要跟你說對不起呢。』」

　　黑貓布魯斯背著花貓球球就醫的路途中，看見兩隻老鼠也為了爭奪桃子，而吵得不可開交。由此，兩位主角想起自己先前的行為，而向對方表示歉意。看到畫面中，花貓與黑貓慚愧的表情，對比兩隻老鼠斤斤計較，互不相讓的模樣，令國中生不禁會心一笑；同時，亦能從黑貓竭盡全力地背著花貓就醫的模樣，感受到一股溫馨之情。

◆ 情緒療癒效用

認同

　　國中生不時會有同儕間互相比較的行為，若自己的強項贏過他人，則會感到驕傲；而比輸的一方，可能會心有不甘。另外，在日常生活中，國中生亦會為了小事吵架，甚至演變成較嚴重的衝突。這些情況，猶如繪本中的兩位主角一般，為了一顆桃子而互相較勁；雖然雙方各有不同的強項，但卻刻意取笑對方的弱點；閱讀此故事時，讀者會產生深刻的共鳴。

淨化

　　黑貓布魯斯和花貓球球彼此不甘示弱，亟欲爭出勝負。過程中，兩人在輸贏之間，心情時而得意揚揚，時而生氣、懊惱、落寞；尤其，當個人的弱點被對方嘲笑時，更會覺得難受；由此故事情節的鋪陳，國中生的情緒也會隨之上下起伏。而看到布魯斯奮力背起受傷同伴就醫的情節，會讓國中生感受到其關懷朋友的情誼，並覺得溫暖與感動；由此，個人心中不愉快的情緒，亦跟著得到釋放。此外，整個故事的情節和畫面，皆十分幽默逗趣，令人在閱讀的過程中感到輕鬆愉快。

領悟

　　由花貓與黑貓因爭奪桃子而互相較勁，甚至引發衝突的故事，國中生可以領悟到，每個人皆有其強項，因此，應欣賞自己的優點，不必一味地與他人比較；否則，會造成彼此的不愉快，自己亦不會因而感到滿足。其次，在爭論事情時，應就事論事，並同理對方的立場，避免翻舊帳，或像兩位主角一開始般，對對方冷嘲熱諷；如此，方能有機會將衝突化為溝通的契機，進而能維持彼此的友誼。

人際關係──結交新朋友、人際互動、朋友吵架、群體生活的摩擦、霸凌

書名／帝哥的金翅膀
（Tico and the Golden Wings）
作者／文·圖：李歐·李奧尼（Leo Lionni）
譯者／劉清彥
出版社／臺北市：道聲
出版年／2009
ISBN／9789866735691

◆ 內容簡介

主角小鳥帝哥天生沒有翅膀。雖然同類的鳥兒皆關愛帝哥，但牠仍不時因自己不能飛翔而感到自卑與失落。某天，帝哥得到許願鳥的協助，長出一雙漂亮的金翅膀，並能快樂地四處飛翔。

然而，帝哥在擁有與眾不同的金翅膀後，卻遭到同伴排擠，使牠感到既迷惘又孤單。之後，主角遇到一些貧窮或需要協助的人，於是牠想到，可以拔下自己的金羽毛幫助對方；而由此，帝哥的翅膀開始長出黑羽毛，外表漸漸變得和同類鳥兒一樣。

帝哥將金羽毛全部贈送出去後，便飛到原本棲息的樹上，終獲得同伴的接納，讓主角興奮不已。同時，牠也因為曾經以金羽毛幫助他人，而肯定自己的獨特和與眾不同。

◆ 情節舉例

「他們為什麼要離開？為什麼生氣？難道與眾不同不好嗎？我可以飛得和老鷹一樣高，也有全世界最漂亮的翅膀，朋友卻都離我而去，我好孤單。」

畫面中，身上擁有美麗金翅膀的帝哥，獨自停在樹梢上沉思，周遭空無一人。由此，國中生可以感受到，帝哥因與眾不同而被同伴排斥，以致心中衍生孤單、落寞與困惑感。

◆ 情緒療癒效用

認同

　　故事中，帝哥天生沒有翅膀；及至其長出金翅膀後，雖然享受到飛翔的快樂，卻也失去了友誼與歸屬感；由此情節，國中生會聯想到，當自己或同儕有著與眾不同的特質，如外貌、家庭背景、個人才能時，無論是正面或負面，皆容易遭到他人的排斥或孤立，或自己容易衍生自卑感，因而心生共鳴。

淨化

　　國中生在閱讀此故事時，能感受到主角初始時，因沒有翅膀而衍生困惑與失落感；其後，帝哥長出金翅膀，但不為同儕所接納；國中生可由書中的描述，感受到主角一方面沉浸於擁有翅膀的喜悅，一方面因同伴的疏離而感到孤單的複雜心情。當看到帝哥開始利用金羽毛幫助貧窮或有需要的人們，且隨後得以回到群體中，並獲得同伴接納的情節發展，令讀者不禁為主角重新找到自己的定位與歸屬感到快樂。

領悟

　　由小鳥帝哥的故事，國中生可以學習到，應該接納與欣賞自身與眾不同之處，並運用所長，關懷和幫助他人。再者，國中生亦會領悟到，可找出自我與群體之間的平衡點，使自己在融入團體時，依舊能保有個人的獨特性；另一方面，此書亦點出，表現出眾、鶴立雞群可能會招來妒嫉，故應主動釋出善意，以免招致恃才傲物之譏。此外，在跟與眾不同之人接觸時，亦不宜只注意到對方表面的行為舉止，而應抱持友善的態度，嘗試與之多方溝通交流；如此，方能有機會和對方建立友誼。

C04

讀者情緒困擾問題類型：
因與朋友爭吵而感到氣憤與尷尬

書名／帶來幸福的酢漿草
（クローバーのくれたなかなおり）

作者／文・圖：仁科幸子

譯者／周姚萍

出版社／臺北市：小魯文化

出版年／2015（二版）

ISBN／9789862115565

◆ 內容簡介

小黑鼠和小白鼠為一件小事爭吵，兩人互不相讓，導致彼此心情都不愉快。於是，牠們約定一起尋找罕見的四葉酢漿草，先找到的一方，就不需向對方道歉。

為此，小黑鼠和小白鼠皆卯足全力，但找了整天，皆一無所獲。過程中，兩人互相苦中作樂，於是漸漸打開心房，原本的疙瘩亦消除不少。

之後，兩隻老鼠發現附近有貓咪，於是一起逃命。而當牠們躲過險境後，皆意識到對彼此的關心之情；由此，兩人互相道歉，並重新牽起了昔日的友誼。

◆ 情節舉例

「真是好險哪！貓咪沒有注意到兩隻老鼠，就走開了。『太好了，小黑鼠沒有被抓走……』『太好了，小白鼠沒有被吃掉……』兩隻老鼠都忘了曾經吵過架這回事，大大的鬆了一口氣。」

畫面中，小黑鼠躲在石頭後面，小白鼠則探頭看著已經轉頭離開的貓咪，兩人都覺得鬆了一口氣。看到兩隻老鼠在面臨危機時，心中都牽掛著彼此的安危，並慶幸對方平安無事；此情節會讓國中生覺得溫馨與感動。

◆ 情緒療癒效用

認同

　　兩隻老鼠因為小事產生芥蒂，爭吵後互不理睬，二人都不肯低頭退讓，而疏遠了對方，亦為此感到不舒服。此等故事情節，彷彿是許多國中生日常生活中的經驗，例如因小事而與朋友發生爭執，雙方皆不願道歉而導致冷戰，但其實心中仍十分在意彼此的情況，因此，閱讀本書時，能產生深深的認同感。

淨化

　　小黑鼠與小白鼠在爭執後，一方面拉不下臉，一方面又欲與對方和好，國中生在閱讀時，能感受到主角們的矛盾心情。而兩隻老鼠相約以尋找四葉酢漿草的方式，決定需道歉者；閱讀至此，國中生不禁會對牠們的創意感到讚嘆。而兩隻老鼠奮力找尋四葉酢漿草的辛苦模樣，亦會令人覺得十分感慨。後來，主角們遭遇天敵貓咪而拚命逃跑時，讀者也會為之捏一把冷汗。危機過後，彼此都意識到自己相當在乎對方，於是和好如初。對此結局，國中生會感到很高興；同時，亦釋放了先前緊張、鬱悶的負面情緒。另外，柔和的筆觸及可愛的畫風，傳達出和諧溫馨的氛圍，讓國中生在閱讀本書後，心情跟着愉悅起來。

領悟

　　透過本書，國中生可以了解到，在人際互動時，發生衝突在所難免；尤其，越是親密的朋友，越容易因日常生活中的大小事情，積累不滿的情緒；因此，應學習「先談情，後說理」，亦即，先傾聽對方的心理感受，以平撫雙方的負面情緒，然後再具體理性地討論問題所在，如此才能讓衝突迎刃而解。相對地，執著與僵持反而會使狀況惡化，不滿的情緒更會讓事情窒礙難行。同時，國中生亦可仿效書中兩位主角，以互相競賽等創意的方式，與對方重新展開話題，同時營造修復關係的機會。

人際關係——結交新朋友、人際互動、朋友吵架、群體生活的摩擦、霸凌

書名／這是誰的？
作者／文‧圖：黃郁欽
出版社／臺北市：小魯文化
出版年／2012
ISBN／9789862112731

◆ 內容簡介

主角大毛熊經常霸佔森林裡的資源，凡事總是宣稱「這是我的！」，甚至趕走其他動物，不願與他人分享。惟有兔子們決定繼續在森林裡生活，不理會大毛熊的霸道行為。

每當大毛熊看到兔子們在一起開心玩樂，便會生氣地大吼，並去搶佔牠們的物品與居住的地洞，導致兔子們終也被嚇跑了。於是，森林裡只剩下大毛熊一人。然而，主角卻發現自己並未因搶佔得逞而感到快樂，反而覺得很孤單，並回想起以前許多動物和樂融融在一起生活的景象。

後來，兔子們再次回到森林裡覓食，卻發現大毛熊追趕過來，嚇得拋下食物逃跑。而主角則撿拾牠們遺落的食物，並表示自己願意與大家分享。由此，雙方得以建立起友誼。最終，其他動物也紛紛回歸森林生活。

◆ 情節舉例

「森林裡終於只剩大毛熊。大毛熊卻發現，自己好像一點兒也不開心。他看了看整個森林，小小聲的說：『這是我的。』只是……他想到這裡以前有小兔子、有小鹿、有……」

畫面中一整片空曠翠綠的草地上，只剩下孤零零的一隻大毛熊縮著身體，顯得渺小而脆弱。看到大毛熊喃喃地說著「這是我的」時，國中生能體會到主角空虛、孤單寂寞及悵然的心情。

◆ 情緒療癒效用

認同

由本故事，國中生會想到，自己或周遭他人也曾像主角大毛熊一樣，不願與他人分享，而導致朋友不多的情況；同時，透過繪本，一些國中生也會勾起，個人物品或空間被他人侵佔的不愉快經驗。再者，繪本敘述，主角有時也會希望融入團體，但卻多僅是大喊「這是我的！」來表達，而導致其他動物紛紛走避；由此情節，也會讓讀者想到，在與他人互動時，自己也曾使用不恰當的方式表達自我，而讓他人感到不適的情形；因此，對本書的故事內容產生認同感。

淨化

故事中，大毛熊佔得他人的物品後，雖然一時覺得心情痛快，但當森林中只剩下自己時，卻覺得空虛、孤單；閱讀到此情節，國中生一方面會覺得主角過於霸道，另一方面也覺得牠可憐。而看到大毛熊改變心態，開始願意與他人分享時，讀者會覺得欣慰；同時，也會為主角獲得兔子們的友誼，而感到高興；尤其，看到兔子們依偎在大毛熊身上的畫面，更令國中生心生溫馨之情。另外，兔子們自始至終，無論吃喝玩樂，皆一塊兒作伴的情誼，亦會令人感到欣羨不已。

領悟

本書描述，大毛熊因意欲佔有整座森林的資源，而導致無人願意與之來往。由此，國中生可以領悟到，在人際交往時，要懂得尊重他人，方能贏得真正的友誼；同時，也能體會到，應敏於察覺他人的需求，適時主動地分享自己所擁有的物品。尤其，在當今互聯網共享經濟的時代，更應有「共享共榮」的理念。如此，個人除了能獲得心靈上的滿足感外，亦可創造人際間的雙贏局面。

另外，故事描述，動物們皆被大毛熊趕出森林，惟獨兔子們不理會大毛熊，繼續生活在森林裡。國中生亦可由此體悟到，在遭遇不合理的待遇時，應學習兔子們的強韌態度，堅持自己的理念，並勇敢面對欺凌事件；如此，方可讓對方明白其行為失當之處，同時，事情也能有轉圜的餘地。

書名／奧力佛是個娘娘腔
（Oliver Button Is a Sissy）
作者／文‧圖：湯米‧狄咆勒（Tomie dePaola）
譯者：余治瑩
出版社／臺北市：三之三文化
出版年／2000
ISBN／9789572089064

◆ 內容簡介

　　主角奧力佛不喜歡男生常玩的遊戲與球類運動，他和同學一起打球時，常因拖累團隊而被嫌棄。而奧力佛對舞蹈充滿熱情，一些同學卻常因此嘲笑他，更在教室外牆寫上「奧力佛是個娘娘腔」的戲謔話語。

　　儘管一直被他人嘲笑，奧力佛仍不斷練習舞蹈。之後，在一場才藝競賽中，主角表演了拿手的踢踏舞，受到觀眾們的肯定，但終未能獲勝。對此，奧力佛感到無比的失落和沮喪，甚至不想去上學。

　　後來，在母親的催促下，奧力佛勉強到學校，卻發現同學們對自己的看法改變了，大家不再被譏笑自己為「娘娘腔」；於是，主角低落的情緒因而得以平復。

◆ 情節舉例

「男孩們幾乎天天嘲笑奧力佛。不過，奧力佛照樣每星期去上李老師的舞蹈課，一遍又一遍的練習。」

　　在左方的畫面中，兩位男同學模仿奧力佛跳舞的動作來取樂，而主角則提著亮亮的舞鞋，默默地呆站著，看到此情節，會令國中生感到十分不忍；同時，也能深刻體會主角傷心與失意的情緒。而右方畫面中，則呈現出奧力佛在上舞蹈課時，帶著堅定自信且滿足的神情用心練習，此讓讀者感受到主角對舞蹈的投入和熱愛，亦為其努力與堅持的態度所感動。

◆ 情緒療癒效用

認同

主角奧力佛的興趣和多數男孩大不相同，因而經常受到欺負與嘲笑。國中生能從此繪本的內容，聯想起自身或同儕的相似經驗；例如，遭受言語訕笑、或是被排擠與孤立、或是物品遭到奪取與破壞，甚或受到肢體霸凌的情況；因此，國中生在閱讀此繪本的過程中，會感到心有戚戚焉。

淨化

看到書中奧力佛深陷個人興趣遭受同儕否定與嘲笑的苦惱，甚至難過地哭泣時，國中生能體會到主角心中十分難受，並憐惜他的遭遇；而看到奧力佛堅持所熱愛的舞蹈，且在比賽中一展所長，更因此獲得同儕的肯定，擺脫被霸凌的困擾；閱讀至此，讀者也會不禁為主角感到振奮與高興。藉由閱讀奧力佛的故事，遭到霸凌之苦的國中生，能隨著故事情節的發展，讓自己從失落、憤怒等壓抑的負面情緒中釋放出來。

領悟

國中生可從故事中體會到，不必因他人的惡意批評，而放棄自己所鍾愛之事；也不需因與眾不同，便感到自卑或自我懷疑；同時，亦可認知到，每個人皆是獨特的個體，應更有自信，看重自身的過人之處，堅持興趣、努力發揮所長；如此，方得以開創屬於自己的天空。另外，曾參與霸凌他人者，亦可在閱讀此故事後，同理遭受霸凌者的心理感受，從而能反省過去的不當行為，並學會尊重與包容他人的種種特點。

人際關係——結交新朋友、人際互動、朋友吵架、群體生活的摩擦、霸凌

書名／大鯨魚瑪莉蓮
（Marlène Baleine）
作者／文：大衛・卡利（Davide Cali）
　　　圖：桑妮亞・波瓦
　　　　　（Sonja Bougaeva）
譯者：李毓真
出版社／臺北市：米奇巴克
出版年／2010
ISBN／9789866215025

◆ 內容簡介

　　主角瑪莉蓮因體型豐腴，而被游泳課的同學取了「大鯨魚」的綽號。對此，主角感到失落與自卑，更因此討厭跳水和游泳。

　　游泳教練發現瑪莉蓮的情況，於是一方面肯定主角的游泳技術；另一方面，亦建議她藉由想像力來改變想法，以克服所懼怕之事。瑪莉蓮嘗試了教練的建議，終能成功地克服因被他人嘲笑而害怕上游泳課的心理障礙，乃至於日常生活中的許多恐懼。

　　在之後的游泳課中，瑪莉蓮重拾自信，並輕鬆自如地展現自己的游泳技術，甚至勇於接受高臺跳水的挑戰；最終，主角贏得了班上同學與教練的肯定和讚賞。

◆ 情節舉例

「今天又是星期三。…瑪莉蓮和平常一樣走到第七水道。這一次，她想像自己是火箭，當她跳進水裡時，沒有濺起一絲水花。」

　　左頁畫面中，瑪莉蓮閉上眼睛微笑，想像自己是靜謐宇宙中，即將於星球上降落的火箭；右下角的畫面，則呈現出瑪莉蓮正躍入水中的情景。讀者能從這兩個畫面，感受到主角在運用想像力後，心情淡定且極其自信，讓人替她覺得十分高興。

◆ 情緒療癒效用

認同

　　故事一開始，主角瑪莉蓮在與同儕相處時，表現得自卑、害羞、畏縮，此讓缺乏自信的中學生，覺得個人彷彿主角一般。另外，繪本描述，主角在游泳課中，因身材遭到同學嘲笑，因此厭惡游泳；看到瑪莉蓮的遭遇，讀者會聯想到，在中學生活中，亦經常發生此等言語霸凌事件，並勾起自己遭受他人訕笑，而變得不喜歡上學、對被嘲笑之事失去熱情，或是跟著同儕一起嘲笑他人的經驗。

淨化

　　瑪莉蓮被同學取綽號嘲笑像隻大鯨魚時，心中相當沮喪難過，甚至討厭自己；中學生能從該畫面中，感受到其痛苦的心情。此外，主角經游泳教練開導後，得以恢復自信，並將對方傳授之運用想像力的心法，應用至日常生活中，並藉此克服許多原本懼怕之事。看到主角勇於嘗試教練的建議，而使原本的許多問題獲得解決的情節，讀者會佩服瑪莉蓮即知即行的態度，同時，也會替她感到高興。而結局中，瑪莉蓮克服恐懼，自信地由高台躍入水中的畫面，亦感染了讀者的心情，讓人為主角的正向轉變感到十分開心，進而能宣洩出積鬱的負面情緒。

領悟

　　透過此繪本，中學生能領悟到，個人可仿效主角瑪莉蓮勇於面對困難的態度。此外，讀者亦可從中體悟到，每個人皆是獨一無二的個體，故應像主角一樣，勇敢地表現自己的專長，並堅持所喜愛之事，不必因他人的嘲諷而輕言放棄。同時，中學生亦可學習書中主角克服恐懼的方法，嘗試透過想像，改變既有的負面認知與想法，並以正向的態度面對問題；如此，當可更勇敢地面對日常生活中的挫折與挑戰。

人際關係——結交新朋友、人際互動、朋友吵架、群體生活的摩擦、霸凌

書名／有你，真好！（Grand Loup & Petit Loup）

作者／文：娜汀·布罕－柯司莫

（Nadine Brun-Cosme）

圖：奧立維·達列克（Olivier Tallec）

譯者／陳昹怡

出版社／臺北市：天下遠見

出版年／2006

ISBN／9789864177165

◆ 內容簡介

大野狼一直以來獨自居住在小山丘上。某日，一隻小野狼闖進其家園，並定居下來。對此，大野狼覺得很擔憂，深怕小野狼對自己構成威脅。一番觀察後，大野狼發現對方並無惡意，終卸下心防，兩隻狼因此得以和平共處，但仍未有任何交集。

後來，小野狼不告而別。在遍尋不著後，大野狼開始擔心對方的安危，並展開漫長的等待。其間，大野狼寢食難安，心中感到焦躁與懊惱，並意識到自己非常在意小野狼。

最終，小野狼回到小山丘上，大野狼欣喜不已；於是，兩隻狼彼此互訴自己的真實心意，並約定要一直陪伴著對方。

◆ 情節舉例

「現在，樹下有兩隻狼了：大野狼和小野狼。他們誰也不和誰說話，只是偷偷的從眼角瞄瞄對方，沒有任何惡意。」

畫面中，大野狼與小野狼分別在大樹的兩側，悄悄地打量著對方，但並未有進一步的交流。中學生可由此情景，聯想到自己在初次與陌生的他人接觸時，亦會像兩位主角一樣，默默地觀察對方，任誰都不敢先伸出友誼之手的彆扭模樣。

◆ 情緒療癒效用

認同

故事中，大野狼一開始對小野狼抱持猜疑的態度，讓中學生覺得，自己與他人初相識時，亦會如兩位主角般，一方面不斷觀察對方的種種，一方面不敢直接展開對話；尤其，會害怕對方取代自己的地位。另外，小野狼離開後，大野狼覺得十分孤單寂寞的情節，也會使中學生聯想到，當習以為常的人事物，不復存在於自己的生活中時，亦會心生不適應與失落感的情況。

淨化

由故事中兩隻狼剛開始共處時的情景，中學生可以感受到，大野狼因擔心小野狼較自己強，而感到害怕與緊張；但當看到書中描述，兩隻狼彼此「沒有任何惡意」，且大野狼認知到小野狼較弱小，中學生能感受到大野狼鬆了一口氣；之後，看到大野狼開始與小野狼分享食物與日常用品的情節，中學生會覺得十分溫馨。

而當小野狼不告而別時，大野狼悵然若失的模樣，會令中學生感受到主角因失去小野狼的陪伴，而衍生了鬱悶、失落、空虛、寂寞的情緒；閱讀至此，中學生亦會為大野狼的處境感到難過與不捨。最後，當小野狼歸來時，大野狼興奮與激動的情緒會感染到中學生，並覺得兩隻狼久別重逢的畫面，十分溫馨喜悅。

領悟

由此故事，中學生可領悟到，人是群居的動物，因此，如何與他人和諧相處是必須學習的功課。由兩隻狼初相識時深具戒心的狀態，到最後決定一直陪伴彼此的結局，中學生能體悟到，在人際交往的過程中，需主動付出，且「愛在心裡口要開」；如此，方能避免彼此猜忌，甚或喪失了結交朋友的機會；尤其，在面對值得深交的朋友，更應敞開心房，表達自己真實的想法與感受，從而建立誠摯互信的友誼。再者，中學生亦可由書中體悟到，個人應珍惜目前擁有的人際關係，但若友誼因故不復長存時，其實不必像大野狼一樣消極被動地等待對方回應，而可以嘗試放下，並主動去認識新朋友。

人際關係——結交新朋友、人際互動、朋友吵架、群體生活的摩擦、霸凌

書名／我想要愛（L'Ours qui voulait qu'on l'aime）

作者／文：克萊兒·克蕾芒（Claire Clément）

　　　　圖：卡曼·索列·凡得瑞

　　　　（Carme Solé Vendrell）

譯者／沙永玲

出版社／臺北市：小魯文化

出版年／2014（二版）

ISBN／9789862114193

◆ 內容簡介

　　大熊吉米一出生母親即過世，後來父親亦離牠而去，於是，吉米孤孤單單地獨自過生活。某日，吉米看到山羊母子親密互動的情景，而自己卻無人關愛，便衍生了想要被愛的渴望；於是，牠離開洞穴，展開一段尋找愛的旅程。

　　途中，吉米拯救了老山撥鼠，並與之度過一段快樂的時光，但老山撥鼠因年邁而去世。之後，吉米遇見一隻小兔子，對其百般照顧，但兔子長大後亦離開了。對此，主角覺得非常失落，於是返回洞穴，度過嚴冬。

　　在春天時，吉米重新踏上旅途，繼續尋找愛。其間，遇到雪崩的意外，主角勇敢地協助許多小動物逃過災難，動物們因而十分感激吉米，並陪伴在其身邊。由此，吉米感受到前所未有的溫暖，且不再覺得空虛與落寞。

◆ 情節舉例

「在黑暗中，他聽到這些小東西的打呼聲、歎息聲和呼吸聲。吉米的山洞從沒這麼熱鬧過；最重要的是，他不再感覺心中有個大洞了，他決定叫這些動物為『小朋友』！」

　　許多小動物依偎在大熊吉米的身上，安心地睡覺；而吉米則柔和地注視著牠們。看到此畫面，中學生會為吉米感到開心，並心生感動與溫馨之情。

因覺得無人關愛自己而感到失落與空虛（國中／高中）

◆ 情緒療癒效用

認同

大熊吉米自幼失去父母之愛，而感到空虛失落的情節，能讓一些單親、失親或感受不到家人關愛的中學生衍生共鳴感。此外，由熊爸爸、老山撥鼠及小兔子相繼離去等情節，亦會讓中學生聯想到，一些朋友因種種緣故而變得少有交集等人際關係方面的失落經驗。再者，主角看到山羊母子親密互動的畫面，而覺得「心中破了一個大洞」的情節，亦彷彿道出了一些家庭關係不甚親密、或缺少可深交朋友之中學生的心聲。

淨化

吉米在父親離開後，即處於獨自一人、無人關愛的狀況，中學生會為之感到心酸與不捨。其後，看到主角認識了老山撥鼠，並受到對方無微不至的照顧之畫面，會令人覺得特別溫馨；但最終，閱讀到老山撥鼠因老邁而離世的情節時，中學生會感受到主角心中孤寂的情緒。另外，看到吉米對小兔子付出關愛，但對方亦終告離開的故事情節，中學生會為主角再度面臨失去的際遇，感到不勝唏噓。後來，發生雪崩的意外時，主角協助動物們逃命，由此獲得大家的信賴；看到吉米因為付出而不再感到心靈空虛，以及其與動物們互相依偎的畫面，令中學生不禁心生喜悅，並覺得溫馨與感動。

領悟

從繪本主角吉米身上，中學生能體悟到，若希望獲得他人的關愛，則可嘗試先主動付出，如此，即會讓他人的愛，源源不絕地挹注到自己身上。同時，本故事結局敘述，主角尋求愛卻屢屢受挫，但仍不放棄，終達成心願，中學生更能由此領悟到，若堅持到底，總有機會遇見關愛自己，及值得個人付出愛的對象。閱讀完本書，中學生亦會了解到，在人世間，其實愛無所不在，個人可以多加體會與感受周遭的愛。

書名／把帽子還給我
　　　（かえしてよ、ぼくのぼうし）

作者／文・圖：梅田俊作

譯者／林文茜

出版社／臺北市：小魯文化

出版年／2003

ISBN／9789867742223

◆ 內容簡介

　　主角小男孩因頭上有一塊禿疤，而經常成為一些同學取笑與霸凌的對象。主角的奶奶對此事感到難過與不捨，於是織了毛線帽給主角遮疤，卻被嘲謔為「禿頭帽」。於是，小男孩遷怒奶奶，認為一切都是奶奶害的，讓奶奶十分傷心。

　　經由父親告知，主角得以明瞭，禿疤是年幼時遭遇車禍意外造成的，而當時奶奶亦因保護主角而受傷，造成一眼失明。自此，主角明白禿疤象徵著奶奶保護自己的愛心與勇氣。

　　之後，當同學再次霸凌主角，奪取其毛線帽時，小男孩想起奶奶的呵護與關愛之情，因而得以鼓起勇氣，對抗霸凌者。最終，主角不但拿回帽子，更贏得全班同學的聲援和霸凌者的尊敬。

◆ 情節舉例

「『把帽子還給我！』我握緊拳頭，睜大眼睛，不讓眼淚流下來。……我緊緊抓住洋治，洋治『啊』的大叫一聲，朝我的臉一陣亂抓，但是，即使是被揍、被踢，或是被摔倒，我都不放手。」

　　小男孩一掃先前不敢反抗的態度，鼓起勇氣，要求霸凌者洋治將帽子還回來。畫面上，主角小小的身軀緊緊壓住體型大一號的對手，臉上滿是堅毅決絕的表情。此情景配上文字，使讀者感受到主角無比的勇敢與堅毅，因而深受感動。

◆ 情緒療癒效用

認同

本書運用第一人稱的觀點，從小男孩的角度，描寫被同儕欺侮、嘲弄的情況，以及其心中或難過、氣憤、或沮喪無助的感受。透過文字和插畫，其情節歷歷在目，令中學生憶起自己或同儕遭受霸凌的相關經歷，因而能引發讀者深深的共鳴。

淨化

一開始，中學生便能從故事敘述中，感受到主角因遭受霸凌，而衍生的沮喪、無助及憤怒等負面情緒；之後，帽子被強奪、男孩遷怒奶奶等情節，則令人感到沉重和心痛。而奶奶勇敢地保護主角，自己卻被摩托車撞上而受傷的畫面，則充分呈現出其對孫子的深愛與呵護之情，令讀者感受到親情的溫暖與可貴。

故事結尾敘述，主角想到奶奶的愛，因而能鼓起勇氣，克服爬樹的恐懼感，取回被拋擲到樹上的帽子，更是令人佩服主角的勇敢與堅毅力，同時，也讓讀者感動不已。在閱讀時，中學生可透過書中的情節鋪陳以及角色人物的遭遇，心情跟著跌宕起伏，由此，個人積壓於心中的負面情緒，得以隨之宣洩出來。

領悟

由主角不斷遭到同學霸凌，最終勇敢挺身對抗的故事，中學生能領悟到，遭到霸凌並非個人的過錯，故不必忍氣吞聲，壓抑心中的負面情緒；同時，個人亦應勇敢對抗霸凌者，否則可能會更加助長霸凌的行為。另一方面，也不妨向可信賴者訴說個人的遭遇和委屈，並請求協助。再者，中學生亦可從閱讀中，體悟到自助人助的道理，並且激勵自己，要勇於面對所遭遇的挫折、困境及挑戰。

人際關係──結交新朋友、人際互動、朋友吵架、群體生活的摩擦、霸凌

書名／沒有人喜歡我（Niemand mag mich!）

作者／文‧圖：羅爾‧克利尚尼茲

（Raoul Krischanitz）

譯者／宋珮

出版社／臺北市：三之三文化

出版年／2002

ISBN／9789572089637

◆ 內容簡介

　　主角巴弟剛搬到新住所，尚未結識任何朋友。於是，牠邀請遇見的老鼠一起玩耍，但被對方拒絕。之後，巴弟繼續嘗試與動物們接觸，但皆遭到他人冷漠以待。

　　由此，巴弟覺得動物們皆不喜歡自己，於是變得越來越膽怯與畏縮，更難過地哭泣起來。一隻狐狸主動過來關切，在得知原由後，便陪同巴弟，一起去釐清事情的來龍去脈。

　　於是，巴弟逐一去了解動物們冷漠反應背後的原因，終得知大家並非不接納自己，而是因個人羞怯與缺乏自信的表現，以致雙方皆曲解了彼此。於是，主角與動物們之間的誤會冰釋，大家握手言歡，並結為朋友。

◆ 情節舉例

「這時，有一個低沈的聲音和他說話：『嗨！你是誰？……你為什麼哭？』巴弟說：『因為大家都不喜歡我。』『是什麼原因呢？』狐狸又問。巴弟說：『我不知道。』『也許你應該問一問，』狐狸說，『我可以陪你一起去。』」

　　主角巴弟因覺得動物們不喜歡自己，而委屈難過地哭泣。畫面中，狐狸對初識的巴弟投以關注的眼神，並詢問其傷心不已的原因。由此情節，中學生會因主角得到他人友善的關心與協助，不必再獨自一人難過，而為其感到慶幸；同時，心中亦興起一股溫馨之意。

◆ 情緒療癒效用

認同

一些中學生在進入新環境時，亦會如同主角巴弟般，容易因為他人不經意的眼神或動作，即認為對方不喜歡自己，於是漸漸喪失自信心、自我封閉，甚至放棄結交朋友，躲避人群，因而對此故事產生很深的共鳴感。此外，巴弟由於個性羞怯與缺乏自信，而不敢跟他人溝通，但又希望別人能主動跟自己說話的模樣，亦讓許多中學生感同身受。另外，繪本中，狐狸陪伴巴弟一起尋找動物們，以釐清問題的情節，亦讓中學生聯想到個人尋求師長和朋友協助時的情景。

淨化

起初，主角巴弟未能順利結交朋友，而覺得孤單、難過、畏縮及自我懷疑；由此，讀者也跟著感到情緒低落。之後，因著狐狸的關心與幫助，巴弟終打開心結，轉憂為喜，更願意嘗試再次與動物們交流，並有圓滿的結局。看到如此的情節鋪陳，會讓中學生的情緒跟著由負面轉為正面。最後，由巴弟和動物們融洽相聚，一起玩樂的畫面，中學生亦會感染到主角心中的喜悅和幸福感，甚至心生羨慕之情。

領悟

一開始，巴弟並不明白動物們冷漠反應的真正原由，便退縮並自我孤立。看到書中主角的作為，中學生會引以為鑑；並由此學習到，若與他人產生嫌隙，背後必定有其原因。是故，個人可主動釋出善意，真誠溝通，以彼此了解；而不應以自己的主觀意識猜測，甚或論斷他人。另外，由巴弟的故事，中學生可理解到，在新環境中與不熟識者交流時，應有自信；並可學習主角，祛除被拒絕的顧慮，主動與他人展開對話，如此，當能有助於友誼關係的建立。

C12 讀者情緒困擾問題類型：
因遭受批評而情緒低落

書名／是蝸牛開始的！

（Vom Glück ein dickes Schwein zu sein...）

作者／文：卡特雅‧雷德爾（Katja Reider）

圖：安格拉‧馮‧羅爾（Angela von Roehl）

譯寫／方素珍

出版社／臺北市：三之三文化

出版年／2000

ISBN／9789578872912

◆ 內容簡介

　　小豬無故遭到蝸牛嘲笑與批評外表，心情因而受到影響。於是，牠在路上遇見兔子時，便嘲笑對方，以發洩自己的負面情緒。

　　之後，兔子也因小豬的話語而感到煩躁不已，便開始批評其他動物；此等嘲笑他人的行為，在森林中蔓延，動物們的心情皆因而受到影響。最終，蝸牛亦無法倖免受到其他動物嘲笑，由此，森林中瀰漫著不愉快的氣息。

　　一番深思過後，蝸牛察覺到此種互相訕笑的現象，是因自己而起；於是，牠向小豬表達歉意，並表明喜歡對方原本的模樣。如此的行為，引發大家的自我反省，並向曾被自己嘲笑的對象道歉。最終，動物們恢復了彼此間的友誼，並更有自信地接納自己。

◆ 情節舉例

「在天黑以前，豬已經向兔子說對不起，兔子也向大狗說對不起…。到了晚上，大家都互相原諒對方了，他們終於可以安心的好好睡覺，他們很高興又能做他們自己了。」

　　在蝸牛向小豬道歉後，每隻動物都跟自己嘲笑過的對象表達歉意。畫面中，動物們皆神情愉悅，面露笑容。中學生可以由此感受到，動物們勇於認錯，誠心道歉後的釋懷感，以及大家相處時的融洽氣氛。

因遭受批評而情緒低落（國中／高中）

◆ 情緒療癒效用

認同

小豬沒來由地遭受蝸牛取笑其外表，從而引發森林中動物們互相批評與謾罵的風波，此種情況亦常發生在中學生日常的人際互動中；因此，看到此故事內容，能讓讀者感到心有戚戚焉，並聯想起自己或周遭他人，亦曾有因遭到批評，而心情受到影響，或對他人還以顏色的經驗。另外，中學生也會由書中動物們被取笑後的反應回想起，當聽到他人的負面批評時，自己表面上不在意，但心中卻甚為不快的情形。

淨化

在閱讀的過程中，中學生可以感受到，遭受他人言語攻擊的動物們，心生難過、沮喪、憤怒等負面情緒，甚至影響到個人的自我認同感與自信心。之後，蝸牛意識到先前犯下的疏失，而主動向小豬道歉的情節，中學生亦會佩服蝸牛能省察自己的過失，以及動物們勇於認錯的行動力。最後，看到大家和好如初的結局，中學生亦會覺得十分溫馨與感動，從而得以釋放積累的負面情緒。

領悟

由此故事，中學生會領悟到，在與人交流互動時，宜多運用正向的言語，以免如蝸牛般，對小豬無心的話語，卻引發對方難過與煩躁的情緒，甚至演變成彼此謾罵的始作俑者。此外，中學生亦可體會到，若發現自己言詞或行為不當，而傷到別人時，應及時向對方表達歉意，以免衍生更大的風波。最終，中學生亦會學習到，在人際交往時，應抱持同理心，懂得尊重他人，且能察覺對方的情緒狀態，以免不經意間讓他人受到傷害；如此，方能營造和諧的人際關係。

C13

讀者情緒困擾問題類型：
因無法融入團體而衍生孤單與徬徨感

書名／小不點（Pitschi）

作者／文‧圖：漢斯‧費雪

（Hans Fischer）

譯者／宋珮

出版社／臺北市：小魯文化

出版年／2007

ISBN／9789867188915

◆ 內容簡介

主角貓咪小不點是莉絲姥姥農場裡飼養的動物之一，然而，小不點對多數貓咪喜歡的遊戲不感興趣，牠也因此覺得缺乏歸屬感。

之後，小不點決定離開屋子，並嘗試模仿農場裡其他動物的行為來尋找自我定位與歸屬感，但卻漸漸發現他人的生活，並不如想像中來得容易和有趣。到了晚上，小不點遭外來動物的驚嚇，而大哭起來。

小狗貝洛察覺到小不點的哭聲，於是協助姥姥將流落在外的主角找回來，但小不點卻虛弱得生病了。其間，農場裡的動物們皆前去探望，並且為牠舉辦一場派對。在眾人的關愛之下，小不點漸漸康復，並找到了身為貓咪的自信和歸屬感。

◆ 情節舉例

「派對好玩極了！玩到最後，只剩下小貓們還在玩，小不點也和他們一起玩。她好喜歡玩貓捉老鼠的遊戲！」

在動物們為主角舉辦派對的尾聲，主角小不點和其他兄弟姊妹一起快樂地玩耍，在此過程中，主角終於找到了個人的歸屬感，而不再感到孤單落寞。畫面中呈現出貓咪們一起嬉戲的喜悅氛圍，高中生能由此感受到小不點的滿足心情。

◆ 情緒療癒效用

認同

主角小不點因為行為表現不同於其他貓咪，而覺得無法融入群體中，並不時衍生落寞感，甚至喪失自我價值和歸屬感。由此，高中生能聯想到，自身在日常生活中未能順利與周遭他人交流互動，並感到孤單與徬徨的情況，因而能充分體會主角的心緒。此外，小不點透過模仿其他動物，以尋求自我定位與歸屬感的情況，也會讓高中生回想起，自己亦曾透過模仿他人的行為舉止，來尋找表現自我的方式之相關經驗。

淨化

看到主角小不點為了找到自我定位和歸屬感，而勇於嘗試模仿其他動物的情形，高中生會心生佩服。但在過程中，小不點卻屢屢遭受挫敗，且適得其反地感覺更加孤獨與格格不入；看到主角如此的際遇，令讀者不禁為其感到心酸與不捨。最後，書中描述，在莉絲姥姥和動物們的細心照護與關懷下，小不點終於感受到大家對自己的關愛之情；因此，在該場為主角舉辦的派對上，牠找到了歸屬感，亦重新拾回自信。閱讀至此，高中生能感受到此故事結局所傳達過來的愛與溫暖之意，並感染到主角在派對中的喜悅心情。

領悟

閱讀小不點的故事，高中生會受到激勵，覺得個人應勇敢追求自我定位；同時，亦可以明白，每個人在尋求自我價值及在群體中的歸屬感時，多少都曾對自我產生疑惑。而面對此情況的當下，首先要覺察個人的專長與不足之處，然後勇敢做自己，不必欣羨與模仿他人，也不必過度尋求外界的認同；同時，個人也應把握機會，多方嘗試不同的新事物，如此，當可透過各式各樣的生命體驗，找到自我的價值與定位。

因無法融入團體而衍生孤單與徬徨感（高中）

C14　讀者情緒困擾問題類型：
因友誼的逝去而感到落寞與難過

書名／城市狗，鄉下蛙
（City Dog, Country Frog）
作者／文：莫·威廉斯（Mo Willems）
　　　圖：強·穆特（Jon J. Muth）
譯者／沙永玲
出版社／臺北市：小魯文化
出版年／2011
ISBN／9789862112564

◆ 內容簡介

城市狗在春天初次到鄉下，遇見青蛙。之後，兩人一起玩耍，展開一段真摯的友誼。

夏日和秋季時，城市狗皆與鄉下蛙一起快樂地度過；然而，在冬天時，城市狗遍尋不著鄉下蛙，因而覺得十分落寞。

春天來臨時，仍在等待青蛙好友出現的城市狗，遇見了花栗鼠。透過花栗鼠親切的探問，城市狗露出了鄉下蛙般的微笑，並與花栗鼠建立一段新的友誼。

◆ 情節舉例

「城市狗沒有停下來去嚐嚐雪的味道，他直直奔向鄉下蛙棲息的石頭。城市狗尋找著鄉下蛙。鄉下蛙不在那兒。」

城市狗在寬廣的雪地上奔跑，並停留在鄉下蛙棲息的石頭上四處張望。此畫面傳達出城市狗因十分思念鄉下蛙，而到處尋找的焦急心境；另外，城市狗坐在石頭上等待的神情，則呈現出其一籌莫展的無奈和失落感。閱讀至此，高中生會不禁為之鼻酸，並感到惆悵不已。

◆ 情緒療癒效用

認同

由城市狗與鄉下蛙經過一段時日的相處後，終告分別的情節，高中生會聯想到，昔日好友各奔東西，不再與自己來往的經驗，故對城市狗因鄉下蛙的消逝而悵然若失的心緒感同身受。另外，閱讀此故事，也會勾起讀者與友人離別後，無法再找到相契合的朋友，或害怕建立新的人際關係等過往的生活經驗。

淨化

由城市狗與鄉下蛙從初認識到相知相熟的過程，高中生可感受到兩人相處時的愉快心情。而在冬天時，城市狗尋找與等待鄉下蛙未果，畫面中呈現出城市狗滿臉失望與落寞的神情，高中生不禁會覺得牠十分可憐，更對兩人友誼的無故消逝感到惋惜。而在春天來臨時，城市狗得以與花栗鼠展開一段新的友誼，高中生會替城市狗能再度結交新朋友感到高興，並認為牠很幸福，進而心生羨慕之意。

領悟

此繪本封底提到，「萬物無常，但友情常在」，由此，高中生得以體悟到，生命中總會遭遇一些個人無力改變的狀況，尤其是離別的時刻；而當自己遇到時，不必執著於過往，而是可透過回憶與對方互動的種種，來感受昔日友誼的美好。同時，高中生亦能領悟到，離別所帶來的悲傷，亦總有一天會被時間沖淡；因此，個人可嘗試敞開心胸，接觸新的人事物，方能如城市狗般，重新尋得友誼而重拾快樂。

書名／擁抱

作者／文‧圖：幾米

出版社／臺北市：大塊文化

出版年／2012

ISBN／9789862133392

人際關係──結交新朋友、人際互動、朋友吵架、群體生活的摩擦、霸凌

◆ 內容簡介

　　主角紅毛獅被裝著一本書的盒子砸到，牠雖然生氣，但覺得該本名為《擁抱》的書，有種似曾相識之感，於是好奇地逐頁翻閱。

　　一開始閱讀時，紅毛獅覺得該書的圖片與文字既噁心又肉麻；但隨後，牠漸漸被書中角色享受擁抱的幸福表情所感染，於是變得十分渴望得到擁抱。然而，由於紅毛獅平日威武兇猛的模樣，導致其靠近動物們，以尋求擁抱時，大家不是紛紛走避，就是攻擊主角。對此，紅毛獅沮喪不已，遂轉而擁抱其他物品，但仍無法填補心中的空虛感。

　　後來，紅毛獅繼續閱讀該書，並由此憶起年幼時與一位小男孩一起成長、互相擁抱，充滿歡樂的溫暖回憶；最終，原本傷心難過的主角，重拾心中初始對愛的渴望與熱情。

◆ 情節舉例

「他只不過是需要一個小小擁抱，為什麼就這麼困難呢？他只好去擁抱大西瓜，但他覺得冰冷。他只好去擁抱小樹叢，但他覺得軟弱。他只好去擁抱大石頭！但他覺得堅硬。他只好去擁抱破輪胎！他覺得好悲傷。」

　　紅毛獅因找不到可擁抱的對象，於是，轉而擁抱植物和無生命的物品來撫慰自己。看到畫面中，紅毛獅皺著眉頭，神情失落地抱住植物、石頭和輪胎的模樣，高中生能感受到牠空虛與悲傷的心情，並不禁為之感到心酸與不捨。

怯於對他人展現愛與關懷之情（高中）

◆ 情緒療癒效用

認同

故事一開始，主角紅毛獅對擁抱的行為感到困惑、不解和噁心；看到主角對擁抱的厭惡感，不習慣與他人交流互動的高中生，能照見自己內心的模樣，並對紅毛獅的想法與行為感同身受。此外，由主角欲與他人擁抱，但卻屢被誤解而招致攻擊的情節，亦讓高中生回想起過往，自己主動向對方示好，卻遭到誤解，甚或被嫌惡的情節，因而能心生共鳴。

淨化

紅毛獅渴望擁抱，但皆遭到拒絕，甚至被驅趕和攻擊，導致傷痕累累；看到此情節，高中生會為其遭遇感到委屈、難過與不捨；而主角因渴求擁抱他人卻不可得，於是轉向擁抱無生命的物品來撫慰自己的景況，高中生亦會替主角感到心酸不已。此外，故事描述，紅毛獅經過一番沉澱，憶起年幼時，與一位小男孩經常一起玩樂，擁抱彼此的畫面，令讀者覺得十分溫馨動人。後來，兩人被迫分離，但心中仍惦念著彼此，終再次相遇；由此情節，高中生會對兩人相知相惜的深摯情誼心生感動；同時，亦會羨慕紅毛獅，能遇見長久念掛與關心自己，給予自己安慰與擁抱的人。

領悟

紅毛獅因渴望他人的擁抱而不斷嘗試，雖然歷經艱辛和挫折，但仍抱持著初心。此故事情節可讓高中生體會到，紅毛獅堅持信念與目標的態度值得學習；而若幾經評估，但想要的結果仍是不可得時，則可豁達地放手，不為難自己，以免像主角一樣，弄得滿身是傷。再者，由紅毛獅年幼時被迫與男孩分離的情節，高中生亦會領悟到，應及時向自己所珍愛的人表達心意，以免徒留遺憾。另外，看到紅毛獅由抗拒擁抱到渴求擁抱的內心轉折，高中生可以了解到，自己和周遭的每個人，皆有愛與隸屬的需求；因此，個人可卸下防衛的心態，主動釋出善意，與人交流；如此，方能有機會尋得一段真誠的友誼。

D 家庭壓力

◎ 與父母的關係

◎ 手足關係

◎ 家庭經濟壓力

家庭壓力——與父母的關係、手足關係、家庭經濟壓力

書名／我的媽媽真麻煩
　　　（The Trouble with Mum）
作者／文・圖：芭蓓蒂・柯爾（Babette Cole）
譯者／陳質采
出版社：臺北市：遠流
出版年：1998
ISBN：9789573235750

◆ 內容簡介

　　主角小男孩的巫婆媽媽，無論穿著打扮或是行事作風，皆頗為特立獨行，也不懂得如何跟其他家長打交道，令主角感到相當困擾。某日，同學提議到訪主角家，但小男孩擔心自己的家庭有別於一般人，會招來更多異樣眼光；況且，同學們的父母亦反對與主角家庭有所接觸。

　　然而，同學們仍堅持前來小男孩的家。透過巫婆媽媽與外婆熱心的招待，大家度過了非常愉快的時光。其間，家長們卻前來，強行帶走自己的孩子，令主角與巫婆媽媽很難過。

　　後來，學校發生一場火災，巫婆媽媽運用法術，及時撲滅了大火，拯救大家免於災難。家長們因而對巫婆媽媽感激不已，並從此改變對小男孩家庭的印象，也允許孩子到主角的家中玩耍。

◆ 情節舉例

「不過，當同學的爸媽出現時，一切全毀了。」

　　同學們在主角家中玩耍時，被父母強行帶走，甚至有家長找巫婆媽媽理論起來。從畫面中，可以感受到家長們憤怒的情緒，以及同學離開小男孩家時，覺得十分掃興的模樣；而巫婆媽媽與小男孩也因為家長們不友善的舉動及態度，感到生氣與難過。

◆ 情緒療癒效用

認同

故事敘述，主角小男孩對於擁有一個特立獨行、引發爭議的巫婆媽媽感到麻煩，也擔心朋友對自己家庭的看法。看到小男孩不斷觀察同學們對媽媽所作所為的反應，以及留意同學們來到家中的感受，亦顯示出主角對自己家庭的特殊情況感到自卑。閱讀到此情節，國中生會聯想到個人也有與主角同樣的擔憂；例如，十分在意父母是否讓同儕留下好印象、擔心他人對自己家中環境的看法、將自己父母和朋友父母比較等經驗，因而會有所共鳴。

淨化

小男孩在同學們來家裡玩之前，便對他人眼中作風古怪的巫婆媽媽感到苦惱與無奈，這種情緒狀態會感染到讀者；而在同學到訪時，主角的媽媽使出渾身解數，讓同學們都玩得很盡興，也讓主角對自己的媽媽改觀。由此，國中生可以感受到小男孩變得開心，並拋下了先前的擔憂與煩惱。最後，看到巫婆媽媽在危急之際，以自身能力拯救大家免於火災之厄，讓家長們感激不已時，小男孩露出了真心的笑容，並為自己的巫婆媽媽感到驕傲。由此故事情節，國中生也能跟著釋放因家庭背景而衍生的自卑感，並轉化為溫馨、喜悅的感受。另外，此繪本的畫風誇張、幽默，在閱讀時，容易讓國中生產生愉悅的情緒。

領悟

閱讀此書後，國中生能認知到，每位家人皆有其優點；因此，家庭成員的特別並非丟臉之事。是故，面對他人對自己家庭的負面評價或閒言閒語時，個人應寬心以對。再者，中學生也能認知到，尊重是人際相處中重要的一環；應透過客觀的觀察、接觸，以及真心同理每個人的家庭背景；如此，方才不會被刻板印象所蒙蔽。此外，國中生亦可從書中巫婆媽媽堅持做自己的態度，學習到與眾不同並非壞事，個人不必過於在乎他人的看法；而每個人皆有其特長之處，只要加強實力，即可在適當的時機展現自己，並幫助他人。

書名／我的鱷魚哥哥（My Big Brother Boris）

作者／文・圖：莉茲・皮琴（Liz Pichon）

譯者／游馥嘉

出版社／臺北市：天下雜誌

出版年／2006

ISBN／9789866948374

家庭壓力——與父母的關係、手足關係、家庭經濟壓力

◆ 內容簡介

　　主角小鱷魚很崇拜哥哥波瑞斯，覺得對方是自己最要好的玩伴；兄弟兩人一起成長，度過許多快樂的時光。

　　但隨著日子過去，哥哥波瑞斯變得只喜歡跟年紀相仿的朋友相處玩樂，一些行為舉止也與以往不同；此讓小鱷魚相當困惑，更覺得哥哥和自己的距離越來越遠。

　　在生日派對當天，哥哥和爸爸媽媽大吵一架之後，將自己關在房間裡生悶氣。小鱷魚見狀，便請爺爺奶奶幫忙想辦法。爺爺奶奶透過展示家族相簿中，各人年輕時的照片，讓哥哥平復情緒。最終，一家人與波瑞斯的朋友們，一起度過歡樂的派對時光。由此，小鱷魚感受到哥哥其實如昔日一樣關愛自己，於是不再覺得失落與困惑。

◆ 情節舉例

「波瑞斯的朋友走了以後，他看起來有點難過。為了讓他開心一點，我提議：『我們去游泳吧！』而且興致勃勃的加上一句：『我們還可以玩「猜猜我是誰」喔！』波瑞斯用一種很生氣、很可怕的聲音說：『我不是說過……我已經長大了，那些笨遊戲不適合我玩！』我覺得波瑞斯一定是不喜歡我了。」

　　畫面中，小鱷魚興致高昂地提出遊戲的邀請，但哥哥波瑞斯卻無精打采地趴在樹幹上動也不動，並對小鱷魚喊「走開！」。對比兩兄弟的神情，可以讓國中生感受到小鱷魚的挫折與難過，以及青春期的哥哥對年幼弟妹的不耐煩。

◆ 情緒療癒效用

認同

小鱷魚與哥哥波瑞斯手足情深，從小一起生活。但哥哥踏入青春期後，許多行徑皆迥異於以往，讓小鱷魚不禁懷疑對方不再關愛自己。此情節會讓家有較年長兄姊的國中生，產生似曾相識之感；另外，亦會讓家有年幼弟妹的讀者覺得，自己如同哥哥波瑞斯一般，有著不被弟妹了解的無奈心情，因而感到心有戚戚焉。

淨化

小鱷魚因哥哥波瑞斯不理睬自己，而覺得十分挫折，此情節會讓國中生感受到主角的困惑與無助。而小鱷魚目擊哥哥與父母吵架，親子間的關係達到高度緊張的狀況時，令人強烈體會到小鱷魚的慌張與不知所措。在結局中，由於爺爺奶奶的出面協助，哥哥與父母終能破冰，一家人和樂融融地相聚的畫面，會令國中生覺得極其溫馨，並衍生開心的情緒。

領悟

國中生閱讀完本書之後，能夠了解到，在青春期的階段，個人的情緒、喜好及行為上的轉變，是一種必然的現象；而手足之間的互動方式，也可能會不同於以往。由此故事，國中生也可以思考，自己應如何適當地與年紀不同的手足相處，以減少彼此間的爭執與衝突。另外，由小鱷魚主動向爺爺奶奶請求協助的情節，國中生可以領悟到，遇到煩惱的事情時，可以主動尋求不同長輩的幫忙，透過彼等豐富的人生經驗與智慧，能解開個人心中的疑惑，同時，也得以讓自己跳脫惱人的負面情緒。

書名／最棒的鞋（Those Shoes）

作者／文：瑪莉白・波茲（Maribeth Boelts）

圖：諾亞・瓊斯（Noah Jones）

譯者／黃筱茵

出版社／臺北市：台灣東方

出版年／2013

ISBN／9789575709877

家庭壓力——與父母的關係、手足關係、家庭經濟壓力

◆ 內容簡介

小男孩傑洛米想擁有一雙時下正流行，且許多同學穿來學校的鞋子；然而，主角家境貧困，無法如願購買。同時，主角原本的鞋子損壞了，故只好穿著學校師長贈送的兒童卡通鞋上學，因而受到同學的嘲笑，為此，主角覺得相當難過。

後來，主角在義賣商店，發現想要的那款鞋子。雖然小一號不合腳，但仍將之買下。每天，傑洛米都嘗試將鞋子穿鬆，卻未能如願，故依舊穿著卡通鞋上學。其間，主角觀察到同學湯尼穿著損壞的鞋子，且對方的腳較自己小，遂將不合腳的鞋子贈予湯尼。

看到湯尼穿著自己贈送的鞋子上學，傑洛米一方面感到開心，一方面也因自己無法穿上這雙鞋而感到難過。後來，湯尼向主角道謝，使他終能釋懷，兩人也因此贈鞋的機緣而結為好友。

◆ 情節舉例

「幾天後，外婆在我的衣櫥裡擺了一雙新的黑色靴子。對於我『太大的腳裹在太小的鞋子裡』這件事，她一個字也沒提。我說：『有時候鞋子穿久了會鬆一點。』外婆給了我一個擁抱。」

畫面中，主角傑洛米雙腳貼上了數個 OK 繃，目光緊盯著手中的鞋子，臉上則掛著不甘心的表情；而坐在他身旁的外婆並未說話，只是將手搭在主角的肩膀上，眼神既溫柔又不捨。國中生能從此情節，感受到傑洛米面對不合腳鞋子的內心掙扎，以及外婆關懷主角的溫暖之情。

◆ 情緒療癒效用

認同

國中生在日常生活中，經常會遇到同學與朋友間一起追趕流行，而想要擁有與大家同樣款式物品的經驗；但一些國中生會因預算有限，或父母不允許購買，而無法滿足，甚或會感到自己有所匱乏。因此，看到本書主角的境況，會讓國中生感到心有戚戚焉。另外，書中描述，主角想擁有的鞋款，過一段時間後即不合時宜，此亦會讓國中生聯想到，有些物品雖然一度在班級中流行，但不久過後即會熱潮消退的類似情況。

淨化

傑洛米一方面羨慕同學們能擁有正流行的鞋款，一方面對於穿兒童卡通鞋上學而被嘲笑一事，感到既困窘又難過。之後，主角雖然買到想要的鞋款，但因勉強自己穿上不合腳的鞋子而受傷，最終只好不甘心地放棄；由這些故事情節，國中生能體會到傑洛米情緒上的起起伏伏。到最後，閱讀到主角看著同學湯尼穿著其贈送的新鞋時，感到既難過又開心的情節，讀者也能感受主角矛盾的心理；而看到結局中，主角與湯尼結為好友，並愉快地一起玩樂的情節，國中生亦會跟著感到高興。

領悟

讀完此書，國中生可以領悟到，潮流容易消退，因此，不應盲目追求；另外，對於流行的物品，個人應釐清是「想要」抑或是「需要」，因為想要的物品，不見得真正適合自己，且亦不應貪求物質上的慾望。同時，由此故事，國中生可學習主角傑洛米，細心體察他人的需要，並將不合用的物品，轉贈給需要的人；如此，既可讓別人開心，自己亦能因給予而感到心靈滿足。

書名／一個不能沒有禮物的日子
作者／文・圖：陳致元
出版社／新竹市：和英
出版年／2003
ISBN／9789867942364

◆ 內容簡介

　　小熊的爸爸生意失敗，整個家庭陷入經濟困難。面對即將到來的聖誕節，熊爸爸和熊媽媽決定節約家用，不為孩子們準備禮物。

　　聖誕節前夕，小熊一家人運用現成的物資佈置，讓家中充滿佳節氣氛。而小熊則別出心裁地蒐集家人先前不慎遺失的物品，並悄悄地將之包裝成聖誕禮物，置放於家中的聖誕樹下。

　　聖誕節當天，家人們發現了屬於自己的禮物，因而感到十分驚喜。在拆開包裝後，家人們皆感受到小熊的心意，讓大家倍感溫馨，也連結了過往的美好回憶；由此，小熊一家人開心地度過一個特別的聖誕節。

◆ 情節舉例

「一整天，大家都在談神秘的禮物、神秘的聖誕小小孩。陽光照紅了每個人的臉，暖和了每個人的心。」

　　畫面中，小熊一家人和樂融融地圍著餐桌，一邊欣賞與把玩著自己收到的聖誕禮物，一邊愉快地聊天。看到此溫馨、和諧的畫面，讓中學生的心亦跟著感到溫暖起來。

◆ 情緒療癒效用

認同

　　繪本描述，由於家庭經濟拮据，小熊的父母常為此感到擔心，亦決定不為孩子購買聖誕禮物；此讓曾面臨家庭經濟困頓，或欲求物質卻常常未能如願的中學生，想起個人相似的遭遇與心情，並對小熊家庭的境況感同身受。此外，看到主角運用巧思，為家人張羅「免費」的聖誕禮物之故事情節，亦會讓中學生聯想到，希望贈送生日或節慶禮物給朋友，但又礙於自己預算不足而煩惱的情況。

淨化

　　熊爸爸與熊媽媽因為家中經濟狀況而擔憂不已，中學生能由畫面中兩位角色緊繃的神情，以及無奈的話語中，感受到彼等鬱悶的心情；而後，小熊一家人運用巧思，佈置家中，並團聚歡慶聖誕夜；閱讀到此情節，中學生會覺得很溫馨，心情也隨之放鬆下來。隨著故事描述，小熊一家人發現意料之外的聖誕禮物，而感到驚喜不已時，讀者也會跟著覺得溫暖與開心極了。此外，小熊在故事一開始，即默默地為家人蒐集不慎遺落的物品；之後，看到繪本的畫面中，小熊別出心裁地將相關物品包裝成聖誕禮物的過程，中學生也會深受感動，並折服於小熊為家人預備禮物之創意。

領悟

　　中學生可從此繪本領悟到，當家庭成員因經濟困窘而感到鬱悶時，家人間相互扶持、體貼、信任和諒解，即是紓解負面情緒的解方。而在個人生日或相關節慶時，就算無實質的禮物，但若能與所愛的人快樂相聚，則也將會是人生中美好的回憶。另外，讀者亦可從故事中體悟到，不必過度期待他人滿足自己的慾望，若個人能主動付出，亦同樣可獲得快樂。再者，中學生亦會認知到，禮物的價格無關緊要，凡是個人用心準備的，即使不費分毫，也會是最棒的禮物。

書名／我和我的腳踏車
作者／文‧圖：葉安德
出版社／新竹市：和英
出版年／2006
ISBN／9789867942814

◆ 內容簡介

　　主角小男孩常常騎著家中唯一一台舊腳踏車與同學玩耍，但由於車型太大，以致其未能自如地操控車子，甚至被同學取笑和捉弄；主角因而渴望擁有適合自己的新腳踏車。

　　某天，一位同學買了新腳踏車，但其騎車技術不佳，於是主角自告奮勇，騎這台新車載著同學一起玩耍。然而，兩人不小心摔車受傷，以致主角被禁止再騎同學的腳踏車。之後，母親為了安撫主角，便與之約定，若其成績能名列前茅，便可得到一台新腳踏車作為獎勵。

　　為此，小男孩認真讀書，獲得了優秀的成績；但母親以自己年幼時家貧，仍知足惜福的親身經歷，間接地告訴主角，因家裡的經濟因素，無法如約購買新腳踏車。最終，主角體悟到母親養家活口的艱辛，便決定不再要求購買新車，而是運用巧思，將原有的腳踏車刷油漆翻新。

◆ 情節舉例

「雖然同學常找我出來玩，但是我感覺他們都在笑我。」

　　畫面中，幾個小男孩騎著腳踏車在道路的前頭，將騎著大台腳踏車的主角遠遠拋在後頭，配上一旁主角的內心獨白，呈現出其覺得被捉弄的難過情緒。看到此情節，中學生能體會到主角失落、沮喪的心情，並為其感到忿忿不平。

◆ 情緒療癒效用

認同

在繪本中，小男孩希望得到新腳踏車，但因家庭經濟因素而未能如願；此令一些中學生想起，自己也曾因家中經濟狀況，而未能獲得某些物品的相似經驗。後來，主角的母親與之約定，倘若主角獲得好成績，即會購買新車以作為獎勵等故事情節，是許多中學生曾經驗過的情況，因此能引發讀者深刻的共鳴。而小男孩為了擁有新車，便用功讀書；之後，雖然達到了約定的條件，但母親終未履約的情節，亦讓有類似經驗的中學生勾起昔日的回憶，並能同理主角的處境與心緒。

淨化

一開始，主角因大台的舊腳踏車無法騎得快，而常被同學捉弄與取笑；閱讀至此情節，中學生會感受到主角難過、失落的心情。此外，當母親未能履約時，讀者也會感受到小男孩心中充斥著失望的情緒。而聽完母親幼年困頓、知足惜福的故事之後，主角能全然理解母親持家的辛苦；同時，亦能體察家中的經濟狀況，於是轉而運用巧思，將舊腳踏車重新上漆等之情節描述，則彰顯出主角不僅能正向思考、且更具有創意；凡此種種，不但讓中學生覺得主角非常貼心，也感到相當佩服。

領悟

在故事中，主角的母親藉由講述童年時經歷物質匱乏的狀況，由此教誨小男孩要懂得知足惜福的情節，能讓中學生體悟到，當個人物質慾望未獲滿足時，可藉由反觀其他較自己擁有更少的人，以檢視心中欲求之物品是否有其必要性，藉此減少不必要的物質慾望。另外，中學生亦能體會到，應珍惜當下所擁有的一切，而不必羨慕他人。如此，即可避免因慾望未獲滿足，而產生怨懟的心理；最終，個人不僅能知足知止，且會活得更為快樂自在。

家庭壓力——與父母的關係、手足關係、家庭經濟壓力

書名／我要大蜥蜴（I Wanna Iguana）
作者／文：凱倫·考芙曼·歐洛夫
　　　　（Karen Kaufman Orloff）
　　　　圖：大衛·卡特羅（David Catrow）
譯者／沙永玲
出版社／臺北市：小魯文化
出版年／2005
ISBN／9789867188113

◆ 內容簡介

　　小男孩阿力意欲說服媽媽，准許其飼養大蜥蜴寶寶當寵物。因此，他透過紙條，與媽媽展開書面溝通。

　　母子兩人就此事進行理性的討論。媽媽未直接答應，也沒有回絕其要求；而是透過書面溝通方式，讓阿力了解飼養大蜥蜴可能會遇到的現實狀況，以及相關責任歸屬的問題。

　　透過如此溝通的過程，阿力充分明白飼養大蜥蜴後，將會面臨的問題與所需承擔的責任，並作出承諾。而媽媽確定阿力了解其中的利弊得失後，終同意主角飼養大蜥蜴。

◆ 情節舉例

「『親愛的老媽：別提什麼女孩不女孩的，現在，我需要一個新朋友！這隻大蜥蜴會是我一直盼望的兄弟！愛你 你寂寞的孩子 阿力』

『親愛的阿力：你已經有一個弟弟了。 愛你的 老媽』」

　　畫面中，阿力和大蜥蜴開懷地邊泡澡邊玩耍，而在下一頁，蜥蜴變成了年幼的弟弟，阿力則無奈地被對方拋擲的毛巾矇到頭。兩頁的圖畫搭配著紙條的內容，幽默地呈現母子對話中的趣味，能引發讀者的正面情緒，因而會心一笑。

◆ 情緒療癒效用

認同

許多中學生皆有過飼養寵物的渴望，但常會遭到父母拒絕；因此，看到主角小男孩極力想要說服母親，其百般請求、期待的心緒，能引發有類似情況的讀者產生共鳴感。此外，中學生亦能由此故事聯想到，自己有事請求父母同意，但未獲父母答應，或是不敢與家人溝通個人想法等之相關經驗。

淨化

一開始，看到阿力請求母親允許其飼養大蜥蜴當寵物，但未能如願的狀況，中學生會感受到主角失望的心情，並滿心期盼阿力能如願以償。另外，透過閱讀阿力母子通信的幽默內容，加上主角雖然年紀小，但並不哭鬧；而是理性地回應母親，並且表達個人已了解飼養大蜥蜴可能衍生的種種問題，此令中學生不僅佩服主角的智慧與成熟的表現，也欣賞阿力母親的開明作風；同時，也覺得母子兩人關係親密，使讀者心生羨慕與溫馨之感。最後，看到母親答應讓主角飼養大蜥蜴，阿力高興得跳起來的模樣，中學生的心情會跟著一起感到興奮，並一掃先前的鬱悶與不快感。

領悟

從阿力與母親的對話方式與結果，中學生能領悟到，有事請求父母師長同意時，不必害怕被拒絕，而應視彼此的習慣，選擇有效的溝通方式，倘若覺得面對面溝通會感到尷尬，或是擔心產生衝突時，則可參考書中小男孩的作法，嘗試以書面的方式，與父母師長建立溝通的管道，此外，亦可利用通訊軟體或是電話等途徑，來說明個人的想法。同時，閱讀完此故事，中學生也會學習到，可嘗試從父母師長的立場思考，同理對方拒絕的原因與困難所在，如此，方不至於因欲求未被滿足，而對父母師長產生怨懟之心。

家庭壓力──與父母的關係、手足關係、家庭經濟壓力

書名／鱷魚放假了（Monty）

作者／文‧圖：詹姆士史蒂芬生（James Stevenson）

譯者／漢聲雜誌社

出版社／臺北市：英文漢聲

出版年／2001（二十四版）

ISBN／9789575880248

◆ 內容簡介

鱷魚阿雄每天皆會載青蛙、小鴨子、兔子渡河上學，但牠們對阿雄平日的付出，並未心存感激，反而不斷地嫌棄阿雄，甚至對其頤指氣使。

某天，阿雄決定要開始「放假」，不再接送三人渡河。在少了阿雄協助的狀況下，動物們雖然嘗試了多種渡河的方法，但皆告失敗。由此，大家終於體會到阿雄平日載送大家渡河的辛勞，以及缺乏阿雄協助時的不方便。

見到三人無法成功渡河，阿雄雖然在休假當中，但仍熱心載送牠們去上學。對此，青蛙、小鴨子、兔子皆感激不已，並開始懂得尊重阿雄。

◆ 情節舉例

「看來，他們只能自己游過去了。」

在試盡各種方式皆未能成功後，小鴨子和兔子拿著書，試著踩在青蛙的背上渡河。牠們像平日對待鱷魚阿雄一樣，自顧自地對青蛙下指示，讓青蛙感到相當不耐煩；最終，小鴨子和兔子皆跌入水中。而畫面中亦顯示，渡河失敗的三人，由此深刻體會到自己對鱷魚阿雄的依賴，以及阿雄平日的辛苦與耐心。此等失去後才懂得珍惜的情節，會令讀者覺得感慨不已。

◆ 情緒療癒效用

認同

中學生在閱讀此書時，能夠產生認同感。首先，在看到主角們對鱷魚阿雄的不尊重與任意使喚，中學生會回想起自己平時將父母、師長等重要他人的付出與協助，視為理所當然；另一方面，看到阿雄辛勞付出卻得不到認同的情節，中學生也會聯想到，自己對他人真誠地付出，卻未得到應有的重視與感激的挫折經驗。

淨化

在書中，青蛙、小鴨子、兔子等三位主角一同嘗試各種渡河的方法，卻一再失敗，過程中險象環生，令中學生為牠們感到緊張與擔心；由此，三位主角想到阿雄平日協助渡河的耐心與辛勞付出，且自己對阿雄的態度不佳；閱讀至此，讀者能從書中感受到牠們的懊惱心情；尤其，三人因渡河失敗掉落水中，載浮載沉的狼狽模樣，令讀者覺得牠們很可憐。而看到阿雄及時出現，載送大家平安過河的畫面，中學生也會感到鬆了一口氣，並不禁對阿雄心生敬佩之意。

領悟

透過閱讀此書，中學生能體悟到，平常視作理所當然、簡單的事情，其實都隱含著不少學問，故應該抱持謙虛的態度，看待周遭的一切。再者，由三隻動物一開始對每日接送大家的阿雄，發出諸多抱怨的反例，中學生可以領悟到，若他人的行事作風並不如自己期待時，亦不該只是發出怨言；而應學會正向溝通，適當地表達個人的想法；同時，也要懂得知福惜福，感激與珍視他人的付出。另外，中學生亦可從鱷魚阿雄「放假」的行動學習到，當覺得個人的付出不被看重時，可以嘗試適度地表達自身的感受，以讓他人了解自己的辛勞與期盼受到尊重的心情。

D08 讀者情緒困擾問題類型：
因喪親或感覺缺乏父母關愛而自我封閉

書名／記憶的項鍊（The Memory String）
作者／文：伊芙‧邦婷（Eve Bunting）
　　　　圖：泰德‧瑞德（Ted Rand）
譯者／劉清彥
出版社／臺北市：三之三文化
出版年／2002
ISBN／9789572089651

◆ 內容簡介

蘿拉的母親過世後，父親再婚；但蘿拉不願接納繼母珍妮，總拿著母親生前留下，用鈕釦串成之「記憶的項鍊」，以抒發對媽媽的懷念之情，並向繼母珍妮炫示。

某天，項鍊意外地被寵物貓咪扯斷，使其中的鈕釦散落在庭園裡。父親與珍妮見狀，便與蘿拉一同尋找鈕釦，但直至晚上，仍有一顆未能尋回。蘿拉為此感到難過不已，無法入眠。

夜裡，蘿拉聽見繼母珍妮和父親的對話，從中感受到珍妮了解項鍊與自己離世母親之間的連結，同時，也體會到珍妮對自己的關懷與重視；再加上看到珍妮與父親兩人，半夜時分仍在漆黑的庭園裡，繼續努力尋找遺失鈕釦的情景，讓蘿拉深受感動。自此，她願意敞開心門，接受繼母珍妮。

◆ 情節舉例

「『你怎麼可以有這種想法呢？』珍妮問，『項鍊上的每一顆鈕子，都代表著一段真實的記憶，你不可以這樣欺騙蘿拉。』……珍妮接著說：『我想，蘿拉寧可讓那顆鈕子搞丟，也不會要一個替代品。就像媽媽一樣，沒有人可以代替。』」

蘿拉因為遍尋不著項鍊上遺失的一顆鈕釦而傷心不已，為此，爸爸打算放棄尋找，並拿自己同一件舊衣上相同的鈕子來代替，而繼母珍妮明瞭，此顆鈕釦對蘿拉的重大意義，故不贊成蘿拉父親的提議。由此情節，中學生可以感受到珍妮的細心體貼，以及對蘿拉的關懷之情，因而心生感動。

◆ 情緒療癒效用

認同

主角蘿拉抗拒繼母珍妮的舉動，呈現出一般青少年對家庭新成員產生排斥的情況，即使未經歷過類似事件者，也能感同身受。同時，高中生亦能由此聯想到，平日父母忙於工作，導致親子之間較少互動，而常感受不到父母的關愛，也因此覺得孤單、甚至有封閉自我的情況。另外，亦會勾起昔日自己提出個人需求，但並未獲得父母重視的回憶。

淨化

故事開頭敘述，蘿拉因失去母親而自我封閉，並漠視繼母珍妮給予的關愛；中學生能由繪本的情節，感受到主角內心的惆悵、落寞、難過與不滿；同時，也會為繼母珍妮一直付出，卻得不到相對的回應，而衍生無力感。最後，蘿拉因看到珍妮堅持要尋回遺失的鈕釦，也十分理解自己失去親生母親的心理感受，終願意敞開心房，接受對方；閱讀至此，中學生一方面對珍妮的用心，覺得相當感動；另一方面，亦替主角走出自我封閉的心態，感到開心；由此，個人積累的沉鬱情緒也獲得了紓解。

領悟

親生父母是無法被取代的，因此，喪親的青少年，除了需面對個人內心的哀慟情緒外，有時還需適應家庭生活形態的改變，如接受繼親等新成員的加入等。由此故事，中學生可以領悟到，倘若遭遇親人往生等重大失落事件時，應避免一直沉溺在悲傷中。再者，此故事亦能讓中學生明白，個人只要敞開心胸，卸下心防，即能感受周遭他人的善意。另外，閱讀完此繪本後，也會讓感覺父母不關愛自己的中學生領悟到，個人可運用同理心，嘗試站在父母的立場，了解彼等面臨的挫折與生活壓力所在；同時，亦可主動給予父母關心，如此，當能有助於營造良好的親子關係。

E 愛情關係

◎ 渴望愛情

◎ 曖昧期

◎ 單戀

◎ 失戀

愛情關係——渴望愛情、曖昧期、單戀、失戀

書名／薩琪有好多男朋友
（Mademoiselle Zazie a trop d'amoureux）
作者／文：提利（Thierry Lenain）
　　　圖：戴爾飛（Delphine Durand）
譯者／謝蕙心
出版社／臺北市：米奇巴克
出版年／2015
ISBN／9789866215070

◆ 內容簡介

　　主角馬克思與女同學薩琪互有好感，但兩人並未向對方表白心意。然而，每當馬克思發現薩琪看著其他男生，就會擔心對方愛上別人。

　　於是，馬克思請其他男同學簽署紙條，以保證他們不會成為薩琪的男朋友。如此一來，馬克思擁有越來越多的紙條，但卻更加害怕薩琪變成別人的女朋友，甚至覺得周遭所有男生都有可能成為薩琪的男朋友。

　　為此，馬克思擔心得作惡夢。驚醒後，他開始思考薩琪是否會成為自己女朋友的種種問題；但主角最終覺得戀愛是件麻煩的事，便打算告訴薩琪，自己並不想談戀愛。隔天，薩琪卻主動告訴馬克思，她願意與之交往的心意，令馬克思驚喜不已。

◆ 情節舉例

「這天夜裡，馬克思做了一個恐怖的夢。他夢見自己坐在學校走廊，身旁堆了一大疊紙條。在他面前有一排長長的隊伍，每個男生都發誓不當薩琪的男朋友，然後輪流在紙條上簽名。」

　　繪本的畫面呈現主角馬克思的夢境，其滿臉倦容，面前許多男生排成隊伍，輪流在「發誓不當薩琪的男朋友」的紙條上簽名，而其身後則堆疊了較主角還高的已簽署紙條。由此畫面，中學生可以感受到，馬克思對薩琪可能成為別人女朋友一事，感到無比的擔憂。

◆ 情緒療癒效用

認同

繪本描述，馬克思與薩琪互有好感，但彼此卻未講明，讓馬克思憂心不已。閱讀此故事，中學生會想起自己在面對心儀對象時，亦如同主角般，既不清楚對方的心意，也擔心自己不受對方青睞；由此，中學生會對主角為愛擔驚受怕的狀況，感到心有戚戚焉。

淨化

馬克思害怕其他男生會成為薩琪的男朋友，因而不停地請求他人作出不會與薩琪交往的承諾，但仍無法緩解其擔心的情緒，甚至焦慮得作惡夢；由此情節，中學生可感受到主角馬克思忐忑不安的心情。後來，馬克思決心要向薩琪表明自己的想法後，中學生亦會覺得，主角因為擺脫了不確定感情的約束，心情變得舒坦；同時，也佩服馬克思能向心儀對象堅定表明立場的勇氣與態度。最後，再看到薩琪向馬克思表達好感時，讀者亦會替主角感到高興。

領悟

故事中，馬克思在未確定與薩琪的關係之前，即不斷地想像與臆測，同時，其亦試圖切斷薩琪和其他男生可能交往的機會，但仍憂心忡忡。由此，中學生可領悟到，在未與心儀對象講明關係前，不應作過多的猜測，以免像主角一樣，終日心神不寧。另外，中學生亦會從本書體悟到，個人可嘗試以不同的方式，主動探問對方的心意，如此，當可早日跳脫曖昧不明的狀態。

愛情關係──渴望愛情、曖昧期、單戀、失戀

書名／薩琪的親親
（Les baisers de Mademoiselle Zazie）
作者／文：提利（Thierry Lenain）
　　　圖：戴爾飛（Delphine Durand）
譯者／謝蕙心
出版社／臺北市：米奇巴克
出版年／2013
ISBN／9789866215063

◆ 內容簡介

　　主角馬克思聽從女朋友薩琪的話語，於下課時間坐在廁所前的樓梯上，等待對方前來親吻自己，然而，卻一直未見薩琪現身，更因此引來同學們的嘲笑。對此，馬克思雖然感到困惑，但仍連續數天在該處等候。

　　後來，老師發現馬克思一直在該處呆坐，於是前來關心。在了解其中的原由後，老師告訴主角，戀愛不該如此被動，並勸導他停止等待。當晚，馬克思夢見自己變身成各種被圈養的動物，且遭到所有人訕笑。

　　隔天，馬克思下定決心向薩琪表明，自己不會再受制於不對等的感情關係，亦不會再被動地等待。透過如此一番表白，薩琪更加欣賞與喜愛馬克思。

◆ 情節舉例

「所以，在薩琪開口之前，馬克思便搶先說：『停止，薩琪！鳥不是生來養在魚缸裡！羊不是生來關在籠子裡！魚也不是生來綁在木椿上！至於馬克思，也不是活該坐在廁所前面的樓梯，等你想親的時候才來親的！如果你想親我的話，自己來找我！』馬克思一說完，便抬頭挺胸轉身走開。」

　　馬克思神情堅定地向薩琪表達，在感情關係中，自己不會再居於被動的地位。畫面中，馬克思的服裝有如超人般，掙脫了各種枷鎖，伴隨著「喀嚓！喀嚓！」的擬聲文字，顯示出主角化被動為主動後，終得以在女朋友面前抬頭挺胸，展現自信，並從容地做自己。看到此情節，國中生會覺得非常痛快，並替主角感到高興。

◆ 情緒療癒效用

認同

對於女朋友薩琪提出在約定之處等待的要求，主角馬克思因為喜愛對方，而全盤接受。但在一次次等待落空後，主角感到茫然與無比的困惑。由此情節，會讓國中生回想起，無論是一般朋友或戀愛對象，自己亦曾因人情壓力，屈從對方的意思，甚或壓抑原本的初心，最終衍生事事受他人牽制的委屈感，因而對馬克思的處境和心緒深感共鳴。

淨化

故事一開始，馬克思坐在約定的地點，等待女朋友薩琪時，面露微笑；之後，他不只期待落空，且遭受同學們訕笑；由此等繪本情節，國中生能感受到，主角由期盼看到女朋友的興奮之情，到後來不知對方為何並未依約前來，而覺得困惑與失望的情緒轉折。其間，馬克思透過老師的開導，終決定拿回戀愛的自主權；閱讀至此，國中生會為此結局感到心情暢快，並十分讚賞主角，能勇敢地向女朋友表達個人真實想法的作為。

領悟

從主角馬克思初始時完全聽從女朋友薩琪指示的反例中，國中生能體悟到，在一般人際交往或戀愛關係中，應避免過於迎合或討好對方而迷失自我；因此，當覺察到自己對他人的要求感到不自在時，即應主動與對方溝通，明確地表達個人的想法，而不應一味地壓抑。另外，國中生亦能由此故事領悟到，應更了解自己，並堅持初心，不要因為各種人情壓力而改變自我，如此，方能擁有彼此互惠與雙贏的人際關係。

愛情關係──

渴望愛情、曖昧期、單戀、失戀

書名／**我喜歡你！貓咪雷弟**（Love, Splat）
作者／文‧圖：羅伯‧史卡頓（Rob Scotton）
譯者／陳雅茜
出版社／臺北市：遠見天下
出版年／2009
ISBN／9789862162927

◆ 內容簡介

　　情人節早上，主角貓咪雷弟精心打扮自己，並寫了一張卡片，想藉此向心儀的女同學咪咪告白。然而，主角並不知道咪咪的心意，故十分緊張不安。

　　在學校裡，主角意欲告白的行動，被同學史派克發現；對方向主角表示，自己各種條件皆較為優秀，更在主角面前，搶先向咪咪告白。對此，雷弟感到既傷心又失望，於是丟棄了原本要送給咪咪的告白卡片。

　　其後，咪咪將雷弟的卡片撿拾回來，更主動靠近主角，贈送情人節卡片，向雷弟表白。由此，主角終明白了咪咪的心意，因而重拾笑容。

◆ 情節舉例

「『喵～嗚～』雷弟失望的說：『不公平。』…雷弟的卡片和史派克的一比，真是小巫見大巫。雷弟歎了一口氣，把卡片丟進垃圾筒。」

　　畫面中，主角雷弟表情失望、難過，頭上被一朵烏雲籠罩著，而牠正將尚未送給咪咪的告白卡片丟進垃圾筒。看到畫面中雷弟下垂的嘴角以及憂傷的眼神，中學生會感染到主角挫折、沮喪的心情。

◆ 情緒療癒效用

認同

此書有多個情節能讓中學生閱讀時產生認同作用，例如，主角貓咪雷弟在心儀對象面前，一方面希望展現個人最好的一面，但也感到緊張和不自在；而在面對其他競爭對手時，亦常缺乏自信，覺得自己條件不如他人。此等情境，皆不時在個人的日常生活中發生，因而讓中學生覺得感同身受。

淨化

作者以誇張逗趣的畫風，強烈地呈現出角色人物的情緒狀態，此能使中學生讀者，跟著主角雷弟一同經歷情緒上的起伏。例如，當看到主角欲向心儀的對象咪咪告白時，顯露出忐忑不安的神情，以及之後以為對方接受他人告白，而感到失望與難過的情節，皆能使讀者體會到主角在追求心儀對象受挫時的種種負面情緒。最後，閱讀到咪咪主動靠近雷弟，並向其表白心意的畫面，中學生會感覺猶如自己被告白般，心情亦跟著雷弟一同雀躍不已。此故事的結局圓滿，讓讀者覺得溫馨感人，並為兩位主角互相喜歡而感到高興，個人心中原本低落的情緒亦得到宣洩和平撫。

領悟

閱讀此書，中學生可以領悟到，在感情方面，不必妄自菲薄，惟有真誠相待，方是與他人建立關係與維繫感情的關鍵因素。因此，當心中有愛時，更應肯定自我，並抱持堅定的信心，勇敢地向對方表達；反之，若個人不曾試著表白心意，則永遠不會有進一步發展的機會。透過此故事，中學生可以學習到，在面對心儀對象時，自信、真誠、主動積極的溝通，乃是營造感情關係的基石。

愛情關係——渴望愛情、曖昧期、單戀、失戀

書名／向左走‧向右走
作者／文‧圖：幾米
出版社／臺北市：大塊文化
出版年／2006
ISBN／9789867059529

◆ 內容簡介

男女主角住在同一棟公寓大樓中，皆不時對都市的生活感到空虛與乏味。而因生活習慣的差異，兩人雖然房間相鄰，但始終未曾有交集。

某日，男女主角在公園中偶遇，因為十分投緣，相談甚歡，而有了進一步的發展。分別時，兩人互相留下電話號碼，但卻因一場大雨淋濕了紙條，使字跡模糊不清，導致兩人雖多方嘗試，仍無法聯繫上彼此。

之後，男女主角因一直未能尋著對方，而飽受思念的煎熬。於是，兩人皆決定離開所居住的都市，以擺脫心靈上的疲憊與窒息感。而也因此，男女主角得以再次相遇。

◆ 情節舉例

「隔壁傳來的提琴聲，聽起來好悲涼。」

「記得今天好像是她的生日，不知道她現在人在哪裡？」

繪本以左右兩頁畫面，呈現出兩位主角處在相鄰的房間內。左側畫面中，女主角獨自一人慶祝自己的生日；男主角則在右側畫面中，對著窗外拉小提琴，琴聲傳到女主角的房間。看到此情節，高中生不禁會為男女主角發出感嘆，思念之人即近在咫尺，但卻未能發覺。

◆ 情緒療癒效用

認同

此繪本敘述一對男女偶遇而又錯過彼此的故事，會讓高中生勾起相似的回憶，例如想起個人與心儀對象互有好感，但因故未能繼續發展的經驗。此外，男女主角雖然住處相鄰，且生活圈重疊，但一直未有交集。此情節會讓讀者聯想到，一些人與自己雖然經常見面，但因缺少共同話題，或是興趣不同，而少有交流，故未能成為朋友的情況。

淨化

透過故事的描述，高中生能感受到，男女主角兩人一開始的生活平淡無奇、寂寞空虛、枯燥乏味；而看到兩人初相識時，彼此怦然心動，十分開心的模樣，讀者的心情亦會跟著雀躍起來。但男女主角道別後，未能順利地再次相遇的情節，會使高中生感慨現實的無奈，因為失去曾經擁有的人事物，較諸未曾擁有過，更令人傷心與失落；而也因此，男女主角的人生陷入了深不見底的悲傷中；對於兩人的處境，高中生會覺得相當惋惜與難過。故事結局中，男女主角歷經思念的焦灼與痛苦，最終重逢，並有進一步的發展，閱讀至此，高中生會對緣分與命運的奇妙安排有所感觸，並格外替兩人感到高興。

領悟

高中生可由此繪本體悟到，生命中處處無不是機緣與轉捩點，當機會來臨時，便應好好把握，即使嘗試後的結果未如預期，但經過努力與付出，也能讓自己免於陷入無所作為的懊悔中。此外，繪本敘述，男女主角因生活習慣不同，而一直錯過彼此；看到此情節，高中生可領悟到，當個人有意追求某些新的人事物時，不能僅是按照日常的步調行事，而是應多方嘗試，積極創造機會；如此，方能更易達成個人的期望，並實現夢想。另外，高中生亦可學習到，遭遇失落事件的當下，個人可以像男女主角一樣，透過專注於個人感興趣之事，來轉移注意力，使自己從中得到滿足感，也讓時間將悲傷與煩惱的情緒沖淡。

愛情關係——渴望愛情、曖昧期、單戀、失戀

書名／從第一次喜歡的心情開始
　　　（はじめは「好き」って気持ちから）
作者／文・圖：堀川 波
譯者／林平惠
出版社／臺北市：方智
出版年／2004
ISBN／9789576799259

◆　內容簡介

　　在咖啡店工作的女主角，對經常前來光顧的男主角抱持著好感，並不時幻想能與對方成為情侶。於是，女主角不斷嘗試讓自己的外表變得更有魅力，期能吸引男主角的注意。

　　某天，男主角和一位女性來到咖啡店，女主角便不斷自怨自艾，覺得自己白費心思，心情因而失落不已。一陣消沉後，女主角決定不再將生活重心放在吸引男主角的注意上，而是要忠於自己，活出自己喜歡的樣子。

　　女主角改變個人心態與焦點後，她漸漸發現，當自己認真投入工作，並真誠地為客人服務時，個人的心靈變得充實與滿足。之後，男主角也注意到這樣的女主角，兩人終有進一步的發展。

◆　情節舉例

「我希望你能發現我的心情。　又希望能一直維持原狀。」

　　咖啡店中，女主角接待前來消費的男主角，兩人止於客人與服務人員之間的接觸，此情況和書中文字所述，女主角心中的所思所想，產生強烈的對比。此畫面與對白，細膩地呈現單戀者的心境，可引發有相同經驗之高中生深刻的共鳴。

因單戀而感到失落與侷促不安（高中）

◆ 情緒療癒效用

認同

此書細膩地描繪女主角面對暗戀對象的矛盾心態，例如，女主角期能向對方展現出自己最好的一面，但不敢表白心意；又如，女主角在看見心儀對象與異性友人結伴，但不確定兩人的關係時，即深感挫折等情節；皆會讓高中生從中連結到自己暗戀他人的經驗，並對女主角的行徑與反應，產生深深的認同感。

淨化

繪本敘述，在一開始喜歡男主角時，雖然女主角並不知道對方的心意，但仍因戀愛的感覺，而使心中充滿喜悅。後來，女主角看見暗戀的對象與異性結伴，便以為自己失戀了，於是悶悶不樂，做任何事情都提不起勁。高中生可以從中感受到女主角由正向到負向的心情起伏。後來，女主角決心改變自己，不再將生活重心放在單戀對象身上後，其自信與喜悅之情從心而發。看到女主角的態度變得積極正面，終能心想事成，讀者亦會為之感到高興，並心生溫馨與幸福感。

領悟

在本書中，女主角以正向的態度，處理因單戀而衍生的失落情緒，是值得高中生學習的。透過此書，高中生可以領悟到，在與他人進入交往關係前，應先珍愛自己、充實自己，讓自己成為值得被愛的人。同時，讀者亦能體悟到，愛慕一個人時，應順其自然，不必過度為對方付出，而失去自我，亦不應期待對方能給予相當的回報。如此，方能為之後對等的感情關係，奠立良好的基礎。

愛情關係──渴望愛情、曖昧期、單戀、失戀

書名／最遠的你　最近的我
◎作者／文・圖：恩佐
◎出版社／臺北市：大田
◎出版年／2005
◎ISBN／9789574558056

◆ 內容簡介

　　本書透過男女兩性對話的方式，描述愛情由邂逅開始，經歷戀愛、出軌乃至分手結束關係等不同階段的過程中，雙方的種種心理歷程。

　　作者採用左右頁並列的方式，分別以男性與女性的不同角度，深刻地剖析兩性的內心世界。透過作者細膩的文字敘述，讓讀者可以看到男女雙方對相同情境差異的見解。

　　透過書中兩性身處愛情關係中不同觀點的獨白，以及衍生的心理感受，讀者能釐清自己對愛情的認知與期待，同時，亦能一探愛情的各種樣貌。

◆ 情節舉例

「不要一直轉　【女】為什麼要找這麼多人來攪和　我知道其實你的焦點是我　……　如果你喜歡我　就勇敢跟我說　不要一直轉　拜託拜託
【男】為什麼要找這麼多人來攪和　知不知道想約妳的其實是我　……
如果妳已看穿我　就請跟我點點頭　不要讓我一直轉　拜託拜託」

　　右頁的畫面中，一男一女與許多動物一起玩樂；左頁則呈現，這群人坐成一排，男女則分別坐在這群動物的兩側。由本頁圖文，高中生會聯想到，自己在與關係曖昧對象相處時，亦常如同書中所述，會邀約一些彼此的共同朋友聚在一起，希望能減少兩人獨處的尷尬感覺；但某種程度上，卻也因此干擾了兩人互相表白心意的機會；因而會對此畫面頗有感觸。

◆ 情緒療癒效用

認同

本書描述一段愛情關係由開始至結束的過程，細膩地刻畫出其中男女雙方的種種心緒；處於不同愛情階段的高中生閱讀後，會對書中所描繪的關係曖昧狀態、交往、出軌、分手等情節有所共鳴。此外，因感情困擾而心情低落的高中生會覺得，角色人物與自己一樣嚐過愛情的苦澀滋味，因而有尋獲知音之感。

淨化

此繪本描繪在愛情關係中的酸甜苦辣，貼近有相關經驗者的內心。閱讀本書後，讀者會衍生淡淡的哀愁與感傷。其中，繪本的字句與畫風皆溫柔細膩，加上作者運用巧思，以對話的方式，呈現出身處愛情關係中男女方的不同想法，以及可能衍生的諸多情緒感受。高中生看到書中與個人經驗相似的情節時，心中亦會跟著產生哀傷與惆悵之情；另一方面，也會覺得自己內心的真正感受得到同理，因而覺得極其溫暖，並緩和了原本沉重與悲傷的心情。

領悟

閱讀完此書，高中生能了解到，無論處於何種階段的愛情關係中，男女雙方的想法經常會有所不同；因此，個人應勇敢地面對交往時的種種困惑與挑戰；同時，亦應抱持同理心，嘗試站在對方的立場思考，如此，方能更加和諧相處，並避免產生衝突。另外，高中生亦會領悟到，在經營愛情關係時，應多聆聽個人內心深處的聲音，做最真實的自己，而不要為了獲得對方的歡心，一味迎合與討好，導致迷失自我。

F 生命成長與生涯發展

◎ 對成長的不適應

◎ 面對未來的困惑感

F01

讀者情緒困擾問題類型：
因眷戀成長過程中的人事物而衍生失落感

書名／小熊的小船（Little Bear's Little Boat）

作者／文：伊芙・邦婷（Eve Bunting）

　　　　圖：南西・卡本特（Nancy Carpenter）

譯者／劉清彥

出版社／臺北市：台灣東方

出版年／2004

ISBN／9789575707422

◆ 內容簡介

　　主角小熊十分珍愛自己的小船，其終日在船上快樂地嬉戲，直到晚上才依依不捨地和小船道晚安。

　　漸漸地，主角長成大熊，小船再也無法負荷其碩大的身軀；因此，主角覺得十分失落與難過。之後，經過一番沉思，加上母親的開導，主角了解到成長必然會讓自己無法再與小船天天相伴，於是決定割捨所愛，為小船另覓新主人。

　　最後，主角找到另一隻小熊，牠除了贈送對方小船外，亦分享自己成長的經驗，更囑咐對方，日後也要將小船轉贈給適合的對象。看到受贈的小熊每天快樂地划著小船，讓主角感到相當欣慰，同時，牠也為自己建造一艘嶄新的大船。

◆ 情節舉例

「『你長大了，不適合再坐小船。』媽媽說：『小熊本來就會不停的長大，變成**大熊**；小船只會維持原來的樣子。』」

　　已長大的主角依偎在媽媽懷中，手中握著船槳，臉上流露出困惑不解的神情，而小船則翻倒在岸邊。看到此畫面，國中生會感受到，主角未能接受自己再也不能坐上小船的事實，以及其對成長過程中種種變化的納悶與不適應感。

◆ 情緒療癒效用

認同

書中主角長成大熊後，無法再使用小船，因而覺得十分難過。此情節會讓國中生回想起，自己在成長過程中，亦曾面臨捨不得與所愛之人事物分離的情況。此外，書中主角將年幼時喜愛的小船轉贈他人，此會讓國中生憶起，自己將用不著的物品，如玩具、衣物等，轉贈更適合的對象之生活經驗。

淨化

本書的初始描述，小熊在船上愜意地玩樂，但其長成大熊後，因再也無法享受在船上的愉快時光而十分納悶。由此故事情節，國中生會感受到，主角由一開始的快樂心境，到失落、難過的情緒轉折。但隨著主角明白，此現象為成長必經的過程，並想出應對的方法，最後順利為小船覓得新主人。看到如此的情節發展與結局，國中生也會為主角跳脫了「得與捨」的掙扎和矛盾感到高興；同時，更佩服主角能做到「斷捨離」，以及其能活在當下，且有勇氣和智慧，拋開對珍愛之物的執著。

領悟

閱讀本書後，國中生可以體會到，無論是生理上的發育，或心理上可能感到迷惘與不適應等現象，皆是青少年在成長階段必經的歷程。故事中，主角學習調整心態，坦然接受成長帶來的變化，最終得以跳脫對象徵愉快童年的心愛小船之眷戀，頗值得每個成長中的青少年效法。同時，看到主角並未放棄享受在船上的樂趣，更動手建造新的大船，讓自己得以繼續做喜歡的事，此等故事情節，也讓國中生了解到，個人喜歡的某些事情，在成長後，仍然可以透過多種不同的方式延續下去。

生命成長與生涯發展——對成長的不適應、面對未來的困惑感

書名／我不想長大（Little Tadpole Grows Up）

作者／文・圖：朱里安諾（Giuliano Ferri）

譯者／洪絹

出版社／臺北市：格林文化

出版年／2007

ISBN／9789861890081

◆ 內容簡介

　　主角小蚪與其他蝌蚪一塊兒從卵中孵化出來，大家快樂地探索周遭的世界。某天，小蚪長出了雙腿和雙手，尾巴亦漸漸變小，主角對自己的身體變化感到十分不解，且覺得難以接受。

　　媽媽和其他青蛙長輩皆告知小蚪，長出四肢乃是成長必經的歷程，且池塘裡的動物們，亦安撫主角。然而，小蚪仍無法平撫心中的鬱悶感，更羨慕起仍未長出四肢的年幼蝌蚪。

　　後來，主角在水中遇到危險，情急之下，便反射性地運用已長成的雙腿，奮力躍到陸地上逃命，更因此看見陸地上從未探索過的新事物。由此，小蚪發現了雙腿的功用，終開心地接受長大的事實。

◆ 情節舉例

「『沒有人了解我的感受。**我真的不想長大！**』小蚪難過的哭了。」

　　小蚪在池塘裡獨自徘徊，游著游著，便摀著雙眼大哭起來，吶喊著「不想長大」。由此畫面，國中生會想起自己進入青春期時，亦和主角一樣，面臨生理和心理上的種種變化，而感到苦惱與不適應。同時，也曾如主角般，因覺得無人理解自己的境況，而心生無助感。

◆ 情緒療癒效用

認同

國中生多少亦和主角一樣，不適應伴隨成長而來的身心變化，而有過「不想長大」的吶喊。此外，小蚪看著其他尚未長出四肢的蝌蚪，心中惆悵不已的畫面，亦會讓國中生回想起，自己因生理發育而顯得與同儕不一樣時，亦曾如同主角般，感到十分苦惱；直到經歷一些事情後，才發現成長的好處。因此，讀者會對主角小蚪的想法與心態，產生強烈的共鳴。

淨化

主角小蚪一開始因不明白自己為何會長出四肢，而覺得害怕與不適應；另外，也因外表變得截然不同於其他蝌蚪，以致擔心他人無法接受自己，甚至羨慕起年幼的蝌蚪來。由此故事的描述，國中生會感受到，主角心中充滿不解與難過的情緒。而後，看到主角遭到被獵食的危機時，讀者會為牠捏一把冷汗；而在危急之中，小蚪發現了雙腿的用處，最終願意接納長大後的自己等情節，國中生亦會為之感到開心。

領悟

閱讀此繪本後，國中生能認知到，告別童年、面對伴隨長大而來的種種困惑與不適應感，是生命成長過程中必會遭遇的，而長大仍是件值得期待的好事；例如，能獲得以往未擁有的力量，可用來克服更多的困難與挑戰，以及幫助他人等。由此，國中生可接受自己發育成長的事實，並了解到此乃是必經的歷程；個人應以正向的思維，面對生命的蛻變，只要心態轉變，努力克服一切的不適應感，終能茁壯成長。

生命成長與生涯發展——對成長的不適應、面對未來的困惑感

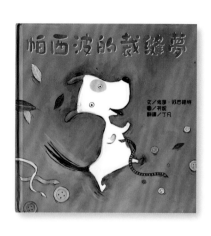

書名／帕西波的裁縫夢
（Le grand rêve de Passepoil）
作者／文：依蓮·阿西諾特（Elaine Arsenault）
　　　圖：芬妮（Fanny）
譯者／丁凡
出版社／臺北縣：三之三文化
出版年／2006
ISBN／9789867295170

◆ 內容簡介

　　寵物店中的小狗帕西波，渴望被隔壁服裝店的裁縫瑪德琳收養，於是牠嘗試了許多方式，希望對方路過時能注意到自己，然而皆未能成功。

　　一天晚上，帕西波看見瑪德琳剪裁布料，遂對裁縫的工作產生興趣；於是，帕西波在夜裡，利用服裝店剩餘的布料，自行製作不同的動物服裝，並從過程中得到滿足與成就感。

　　之後，帕西波便經常穿著自己縫製的衣服，終成功吸引了瑪德琳的注意。一段日子後，主角不只在裁縫手藝上獲得瑪德琳認可，更被其收養。小狗帕西波一直以來的夢想終於成真。

◆ 情節舉例

「瑪德琳小姐匆匆忙忙經過的時候，看了帕西波一眼。她敲敲櫥窗，跟艾伯特先生說：『你這隻貓咪長得好奇怪！』帕西波心想：『她注意到我了。她注意到我了！』艾伯特先生說：『你真是一隻特別的小狗！』」

　　畫面中，小狗帕西波穿著自己縫製的貓咪服裝，坐在貓咪的籠子裡，讓每日匆匆經過的裁縫瑪德琳，第一次注意到自己。對此，帕西波覺得雀躍不已。由主角的神情，國中生能感受帕西波經過多番嘗試，終成功吸引瑪德琳目光的興奮情緒，並為主角付出努力後有所收穫，感到開心。

◆ 情緒療癒效用

認同

　　小狗帕西波因渴望被裁縫瑪德琳收養，於是不斷嘗試各種方式，甚至自行縫製服裝，期讓對方注意到自己。帕西波為了達成願望，努力展現才華的情節，會讓國中生聯想到，個人有時會因渴望獲得崇拜對象的賞識與同儕的讚美，而努力展現自身的才能；或是希望與他人建立關係，而主動了解對方喜好等經驗；因此，會覺得主角的行徑和個人的生活經驗十分相似，並心生共鳴感。

淨化

　　小狗帕西波一開始希望引起瑪德琳的注意，但多番努力皆未能成功，國中生可以感受到主角迷惘、失望和難過的心情。而帕西波積極地嘗試不同的方式，勇敢突破現況，終獲得崇拜對象的肯定。看到帕西波興奮得將魚飼料都搖了下來的畫面，國中生會感染到主角夢想成真的喜悅和幸福感。同時，小狗帕西波裝扮成其他動物的情節和圖畫，亦十分幽默逗趣，能讓國中生在閱讀時感到愉悅。

領悟

　　繪本的結局寫道，「即使是一隻小狗，也可以讓夢想成真」，從小狗帕西波的故事，國中生可學習到，追尋夢想時，不能光說不練，若一味被動地等待他人賞識，如此的「佛系」行為，事實上是在虛度光陰，甚至容易錯失良機。因此，應靠自己努力，積極主動地創造機會；尤其，應勇敢嘗試突破現況與改變自己，學習踏上夢想之路所需的技能；同時，更要以堅持不懈的態度，來贏得肯定。如此，看似遙遠的夢想，也終有達成的一天。

F04 讀者情緒困擾問題類型：
面對不擅長之事而感到徬徨與鬱悶

書名／點（The Dot）
作者／文‧圖：彼得‧雷諾茲
　　　　　　（Peter H. Reynolds）
譯者／黃筱茵
出版社／新竹市：和英文化
出版年／2003
ISBN／9789867942333

◆ 內容簡介

　　美術課上，主角葳葳覺得自己不懂得畫畫，於是一直悶悶不樂地坐在教室裡，直到下課。老師前來關心，並鼓勵主角嘗試下筆。於是，葳葳在空白的畫紙上，畫了一個小點。

　　老師請葳葳在圖畫上簽名，更將之置於美術教室的牆上。主角發現後，認為自己能表現得更好；於是，她發揮創意，試著繪畫許多不同大小且色彩繽紛的圓點，更因此在學校裡辦畫展。

　　主角在圓點繪畫上出色的表現，引來一位小男孩的羨慕，而葳葳則以美術老師先前鼓勵自己的方式，鼓舞小男孩勇敢嘗試畫畫，並予以對方肯定。

◆ 情節舉例

「『哼！我可以畫得更好！』」

　　葳葳因看見自己隨意畫出的小點，得到美術老師的肯定，而激發其希望畫得更好的動力。畫面中，葳葳叉著手，抬頭挺胸，下定決心的模樣，讓國中生感受到主角心中變得積極，並會滿心期待她接下來的行動。

◆ 情緒療癒效用

認同

故事中，主角葳葳因自覺不擅長畫畫，故覺得美術課的時間並不好過，於是一直鬱悶地坐到下課。由此，國中生會照見自己，在學校生活中，亦偶爾需要應付不擅長的課堂，或勉強參加不喜歡的活動；因此，讀者相當能體會主角的處境，並覺得其行為和心情，與自己十分相似。

淨化

在一開始，葳葳因畫不出美術課的畫作，以致未能離開教室，其臉上一直掛著悶悶不樂、不甘心的表情，國中生會感覺到，她心中可能覺得不安、徬徨；而美術老師以幽默的語氣，與葳葳展開對話，且以相當正向的方式，鼓勵她嘗試畫畫，並予以肯定；由此，國中生會覺得，自己彷彿也受到老師的鼓勵一般，心情跟著變得正面。

之後，看到葳葳因獲得老師的認同，而受到激勵，於是發揮創意作畫，亦開始展露笑容，國中生會感受到，她從中獲得不少成就感。最後，看到有小男孩對葳葳的作品讚歎不已，並心生羨慕時，主角能運用老師肯定自己的方式，來鼓勵對方勇敢嘗試；此會讓國中生感到佩服，並覺得相當溫馨。

領悟

閱讀葳葳的故事，可讓國中生受到鼓舞，覺得即使個人認為某些事情並非自己所擅長的，但仍可勇於嘗試與體驗，而不必為自己設限，甚至卻步不前。再者，讀者也會體悟到，每個人皆有值得欣賞之處，且有無限的潛能；因此，即使目前並未找到自己可發揮之處，仍不應氣餒，而應跳脫他人期待的桎梏，及自我否定的框架；如此，當能全然地發揮自我，從而成就更好的自己。

生命成長與生涯發展──對成長的不適應、面對未來的困惑感

書名／小蟲蟲的金牌夢
（Ambrose Goes for Gold）

作者／文‧圖：朵兒佛瑞曼（Tor Freeman）

譯者／黃筱茵

出版社／臺北市：三之三文化

出版年／2009

ISBN／9789867295507

◆ 內容簡介

　　在即將舉行的年度昆蟲運動大賽前，白蟻安安努力地鍛鍊自己，希望至少在一個比賽項目中贏得冠軍。

　　運動大賽當天，安安參加了數項比賽，牠雖然竭盡全力，但冠軍皆由其他擁有天賦的昆蟲奪得。獲獎的昆蟲們紛紛過來安慰主角，不過牠仍然感到非常失落與氣餒，於是獨自啃食樹枝，以宣洩心中的不快。

　　在飽餐過後，裁判宣佈安安獲得吃樹枝大賽的冠軍。主角終以其擅長吃東西的本領，如願以償獲得比賽金牌；同時，主角亦由此明白，雖然每個人皆各有自己的天賦與擅長之事，但也要努力做好準備，並把握機會展現出來。

◆ 情節舉例

「『我們就知道你一定辦得到，』好心的蚱蜢說。『可是你們怎麼會知道呢？』安安問。所有人都笑了。『因為……安安，你是一隻白蟻。白蟻最拿手的事就是吃東西啊！』」

　　昆蟲們為獲得吃樹枝大賽冠軍的主角安安喝采，歡樂的氣氛盈滿了整個比賽會場。由此畫面，中學生會為主角能展現其天賦所長，並得償宿願獲得一面金牌感到高興，個人心中的負面情緒亦隨之一掃而空。

◆ 情緒療癒效用

認同

白蟻安安在參賽前，雖然付出了許多時間，努力練習各個比賽項目，期望能贏得一面金牌；而結果卻事與願違，只能眼睜睜看著其他有天賦的昆蟲獲獎。此情節能讓讀者聯想到，在中學生活中，多少會遇到辛苦付出但得不到相應成果之事，或是自己認真努力，仍比不上資質聰穎的同儕，導致喪失自信的經驗；對此，中學生覺得主角安安的遭遇與個人十分貼近。

淨化

看到故事中，白蟻安安因屢屢落敗，而對自己失去自信的情節，讀者能體會主角消沉、沮喪的心情，並為其感到惋惜與難過；而獲獎的昆蟲們，皆對安安給予安慰和鼓勵，此畫面讓中學生心生溫馨與感動，從而能宣洩出個人內心的負面情緒。另外，看到主角最終獲得拿手項目的金牌，並露出驚喜不已的表情之畫面，讀者亦會隨著主角釋放出煩悶的情緒；同時，也不禁會替安安感到喜悅。再者，主角獲獎後，並不因此感到自滿，而是認為應及早準備來年的賽事，看到主角積極認真的態度，亦讓中學生深感佩服。此外，本書的畫風細膩，色調柔和，能讓人在閱讀時，感到輕鬆愉悅。

領悟

閱讀此書後，中學生可從主角安安的經歷中領悟到，生活中難免碰上種種挫折和未盡如己意之事，但個人不必氣餒，而應懷抱希望，並努力不懈，最終總會找到屬於自己的舞臺。再者，當看到他人有所成就時，也不需過於羨慕，因為每個人皆各有其天賦與擅長之處，故應對自己抱持信心。另外，由主角安安因渴望得到金牌，而認真努力準備賽事的情節，讀者亦可學習到，主動積極地追求個人理想與目標的精神和態度。尤其，安安雖然獲得擅長項目的冠軍，但反而更加惕勵自己，繼續認真準備來年運動大賽的其他比賽項目；主角此種「勝不驕」與「未雨綢繆」的精神，更是值得中學生效法。

生命成長與生涯發展——對成長的不適應、面對未來的困惑感

書名／冬冬的第一次飛行

作者／文：周逸芬

　　　　圖：黃進龍

出版社／新竹市：和英文化

出版年／2014（二版）

ISBN／9789866608193

◆ 內容簡介

　　主角小信天翁冬冬只會搖搖擺擺的走路，其雖然試盡各種方法揮動翅膀練習飛翔，但仍未能成功，甚至遭到其他鳥兒嘲笑。主角因而難過地落淚，更開始厭惡自己。

　　某日，朋友小紅鷗丁丁邀請主角一起飛行遊玩，但冬冬在試飛時跌倒了。丁丁見狀，便給予主角安慰和鼓勵，並示範飛行的方法，讓牠練習與觀察。過程中，一場暴風雨來襲，冬冬被吹落山崖，於是奮力地揮動翅膀，終於得以成功展翅高飛。

　　之後，冬冬以長長的翅膀，自由自在地四處滑翔，盡情享受高空飛行的樂趣。而在旅途中，冬冬思念小紅鷗丁丁；最終，牠決定飛回原本居住的小島，與丁丁一起探索更多未知的地方。

◆ 情節舉例

「冬冬在空中滑翔了很久很久，卻一點兒也不疲倦，長長的翅膀使他飛得很高、很快、很優美。」

　　冬冬展開修長的翅膀，在陽光映照的天空中自在翱翔。冬冬充滿自信的神情和優美的姿態，讓人不禁為之感到開心。同時，透過暖色調的畫面，使讀者的心也跟著溫暖起來。

◆ 情緒療癒效用

認同

故事中，小信天翁冬冬看見其他鳥兒皆會飛翔，但自己仍未學會，因而厭惡自己；此情節會讓中學生聯想到，個人在學習上不如同儕，導致失去自信的挫折經驗。另外，看到冬冬為了學會飛翔，而積極努力練習的模樣，亦會讓中學生回憶起，個人亦曾因希望熟練某種技能或讓成績進步，而努力不懈的情景，故產生深深的共鳴。

淨化

冬冬嘗試飛翔失敗，更遭其他鳥兒嘲笑，於是認定個人將永遠無法飛翔，並開始討厭自己；看到冬冬一邊拔除身上羽毛，一邊落淚的情節，中學生能充分感受到主角受挫後的傷心與哀怨情緒，並為之感到心酸和不捨。而故事描述，在經歷一場暴風雨後，冬冬終於成功地飛起來；畫面中，主角自在地展開雙翼滑翔，臉上滿是自信與愉悅的神情，此讓中學生的心情也跟著感到快樂無比。另外，看到冬冬雖然可以享受四處飛翔的樂趣，但最終仍決定回到老朋友丁丁身邊的情節，中學生亦會為主角顧念昔日摯友的情誼，而心生感動。

領悟

由主角冬冬奮力揮動翅膀對抗暴風雨，終能在天空中翱翔的故事，中學生可以領悟到，當個人欲達到目標時，應積極地嘗試，即使遭遇失敗或面對困境，亦不應沮喪或自我懷疑；若輕言放棄，則無法如願以償。是故，個人應懷抱希望，不要因遭遇挫折而喪志，並預備好自己，期待以後的人生發展。

另外，冬冬由於翅膀和體型皆較其他鳥兒大，故較晚才學會飛翔；但也因此，能飛離小島至遠方旅行；此故事能讓中學生明白，儘管目前自己的學業表現，可能不夠優異，但當個人成長後，可能會有不同的人生際遇，讓自己一展所長；因此，只要努力耕耘，並不斷堅持，且有等待的智慧與耐心，時日一到，終究會嚐到「守得雲開見天月」的喜悅。

F07
讀者情緒困擾問題類型：
因堅持自我招來他人批評，而感到迷惘與自我懷疑

生命成長與生涯發展──對成長的不適應、面對未來的困惑感

書名／大小樹（Little Big Tree）
作者／文：提姆·布朗（Tim Brown）
　　　　圖：安迪·蓋佩特（Andy Geppert）
譯者／何佳芬
出版社／臺北市：飛寶國際文化
出版年／2013
ISBN／9789866701733

◆ 內容簡介

　　森林裡的一棵小樹常扭動枝幹，好奇地探索四周。旁邊的大樹見狀，便勸誡小樹不應隨便擺動，以免無法成為又高又直的有用樹木；但小樹不以為然，仍經常彎曲或挺出軀幹，藉此協助森林中的其他動物，主角因而感到滿足與快樂。

　　之後，伐木工人來到森林，尋找能做成木材的樹木，於是把所有長得又高又直的大樹鋸走，惟獨留下長得不夠高也不夠直的小樹。自此，主角覺得十分孤單與難過，更懷疑當初堅持個人意願成長的決定是否正確。

　　一段時間過後，有一家人來到小樹旁邊，讚嘆其樹形美麗，並在周邊建立起幸福的家園。小樹因得到欣賞與陪伴而重拾快樂，並且覺得按自己喜歡的方式成長，是正確的決定。

◆ 情節舉例

「現在，樹林裡只剩下小樹孤伶伶一個。小樹不喜歡這種感覺。他錯了嗎？他應該聽大樹的話，長得又高又直嗎？小樹開始覺得不應該照自己的方式成長，也許他的決定是錯的。有好長一段時間，小樹過得寂寞又悲傷。」

　　畫面中，樹林空蕩蕩，只留下砍伐後的大樹樹根；而被砍下的大樹，臉上露出驕傲自滿的表情。由此畫面，高中生可感受到，小樹心生動搖，開始懷疑自己過往的堅持是否正確，也因而陷入悲傷中；看到此情節，高中生能體會到小樹迷惘與難過的心情。

◆ **情緒療癒效用**

認同

大樹不斷告誡小樹與其他樹木，不應隨便扭動枝幹，方能長成又高又直的有用樹木。閱讀到此情節時，高中生會將之投射到現實生活中，並聯想到個人面對學校的升學體制以及父母師長的期許時，所衍生之壓力與種種情緒困擾，故會感到心有戚戚焉。此外，小樹堅持按自己的方式生長，卻被身旁大樹嫌惡的狀況，亦讓曾因從事自己所愛之事，卻招致他人批評的高中生心生共鳴。

淨化

一開始，小樹並未聽從身旁大樹的勸導，決定扭動枝幹幫助他人，並從中得到快樂，高中生會對它堅持自己信念的態度與作為感到佩服。之後，小樹看見周圍的大樹被伐木工人鋸下，獨留自己在森林中，不禁產生孤單、懷疑與迷惘等負面情緒；由此情節，高中生能深刻感受到小樹的低落心情。而故事中，小樹雖然曾經動搖過，但其始終依從個人的志趣，勇敢地活出自我，終找到其定位與價值，並獲得他人肯定；閱讀至此，高中生會與小樹一同快樂起來，並對主角堅持自我的精神，感到佩服不已。

領悟

閱讀本書後，高中生會領悟到，成為有用之材可以有很多種途徑，並非只有一般社會定義的方式；就如同此故事中的小樹，其長得並非傳統價值觀裡，又高又直的有用樹木，但它不時為了庇護周遭的動物，而改變自己的樹形，也因此，小樹的內心充滿了助人的喜悅與成就感。讀完此書，高中生可以領悟到，在面對生涯抉擇時，倘若個人的志趣遭到父母師長的質疑和批評，則應勇於和對方溝通，讓他人明白自己的理想與志向；此外，亦應傾聽自己內心的聲音，並學習小樹的態度，秉持初衷，堅持做自己；如此，方能活出理想的自我。

F08 讀者情緒困擾問題類型：
因不適應社會體制與規範而感到不快樂

書名／一年甲班 34 ㄏㄠˋ
作者／文‧圖：恩佐
出版社／臺北市：時報文化
出版年／2006
ISBN／9789571345567

◆ 內容簡介

　　主角小男孩一向生活得無拘無束，但其上小學後，無法適應學校的制式化生活，甚至常遭到老師處罰和同學們的排擠，而感到十分不快樂。因此，小男孩開始排斥上學，一心渴望回到從前的日子。

　　之後，小男孩撿拾到一隻小蝌蚪，其將之視為友伴，並帶至學校，盼能藉此獲得友誼。然而，他卻遭同學向老師告發，以致被迫捨棄蝌蚪。在此次事件後，老師與母親對主角的日常生活，益發嚴加管控。為此，主角覺得壓力十分沉重而逃學，並找朋友盡情玩樂；但事後引發了一場風波，主角因而受到父母的嚴密監控，更全然失去了自由。

　　最終，小男孩因無法繼續忍受生活中的種種約束與壓力，再次逃離學校和家庭。但經過一番思考後，主角發現自己無法與社會體制相抗衡，於是決定調整心態，成為一個不再違拗社會規範，順從大人期望的孩子。

◆ 情節舉例

「可是　並非每個人想要的都一樣……　有個同學打了小報告」

　　畫面中，主角小男孩把養著小蝌蚪的瓶子藏在身後，站在其面前的老師，交叉著手預備責罵主角，而班上同學則噤若寒蟬，聚在角落旁觀，此凸顯出小男孩無力與學校體制規範相抗衡的態勢。高中生可從畫面中，感受到主角內心的害怕之情，並會為之感到擔心不已。

◆ 情緒療癒效用

認同

　　小男孩進入學校後，從忠於自己到向現實妥協的故事，會使高中生勾起許多相關的個人經驗。例如，一些高中生跟主角一樣，不喜歡制式化的學校生活，或即使感覺受到約束，仍必須無奈接受。另一方面，故事敘述，主角的父母與師長一直訓誡其要認真讀書，並遵守社會規範，令主角覺得十分不耐煩，甚至感受到沉重的壓力；此情節亦和一些高中生的生活經驗如出一轍。另外，讀者也會由此故事聯想到，自己在學習上遭遇的挫折，以及個人價值觀和他人不同，而造成日常生活中諸多的壓力與衝突的經驗。再者，書中描述，主角遭受同學排擠與告發、同儕間有難以融入的小團體等人際衝突的情節，也讓高中生覺得書中描繪的學校生活，十分貼近現實，因而感到心有戚戚焉。

淨化

　　主角原本的生活無拘無束，但開始上學後，自覺桎梏於學校的體制，且遭到同學排擠。看到此情節，高中生會感受到主角不快樂、困惑、不被理解等心情。另外，由主角逃離學校，跟朋友阿丁玩樂的情節，高中生會覺得，主角在學校緊繃的情緒得到釋放而十分高興，閱讀至此，令人跟著感到開懷；但隨後，阿丁卻因此遭到厄難，主角也失去惟一的朋友，讀者亦能體會其痛苦不堪的心情，並為之感到悲傷與不平。

　　本書最後描述，主角因無法忍受現實生活的束縛，而再次逃家，但經過一番思考後，決定屈服於現實。看到主角無力與整個社會體制抗衡，高中生也會跟著衍生無奈與惋惜的情緒；但看到書中兩度提到「生命……會自己找到出路」的詞語，高中生心中積鬱的負面情緒也因而得到舒緩。

領悟

　　在故事中，小男孩一味執著於做自己，但過得並不快樂，由此，高中生會思考，應如何在實現自我與履行個人責任間取得平衡；再者，讀者亦

會領悟到，個人不該如同主角般執拗，而應嘗試聽從一些良好的建議，以讓自己的人生道路更加平順。其實，在個人成長後，會有更廣闊的空間可以發揮自我，因此，不必操之過急，而應更有耐心地預備與等待。此外，高中生亦能由主角在班上被孤立的遭遇體悟到，應嘗試讓自己成為值得交往的人，並把握機會結交良友；如此，當遭遇情緒困擾問題時，便能有傾訴與陪伴自己的同伴。

附錄

附錄一

受訪中學生之基本資料

代碼	性別	學校／年級	訪談日期 （年／月／日）
J-F01	女	基隆市立暖暖高級中學／國中部三年級	2016/6/7
J-F02	女	基隆市立暖暖高級中學／國中部二年級	2016/6/15
J-F03	女	基隆市立碇內國民中學／一年級	2016/6/15
J-F04	女	基隆市立建德國民中學／一年級	2016/6/17
J-F05	女	基隆市立建德國民中學／一年級	2016/6/17
J-F06	女	基隆市立建德國民中學／一年級	2016/6/17
J-F07	女	基隆市立建德國民中學／一年級	2016/6/30
J-F08	女	基隆市立建德國民中學／一年級	2016/6/30
J-F09	女	基隆市立中正國民中學／三年級	2016/7/1
J-F10	女	基隆市立中正國民中學／三年級	2016/7/1
J-F11	女	基隆市立明德國民中學／二年級	2016/7/6
J-F12	女	基隆市立明德國民中學／二年級	2016/7/6
J-F13	女	基隆市立武崙國民中學／二年級	2016/7/22
J-M01	男	基隆市立暖暖高級中學／國中部三年級	2016/6/15
J-M02	男	基隆市立碇內國民中學／一年級	2016/6/15
J-M03	男	基隆市立中正國民中學／三年級	2016/7/1
J-M04	男	基隆市立明德國民中學／二年級	2016/7/6
J-M05	男	基隆市立武崙國民中學／二年級	2016/7/22
S-F01	女	臺北市立成淵高級中學／三年級	2015/2/5
S-F02	女	國立臺灣師範大學附屬高級中學／一年級	2015/3/9
S-F03	女	國立基隆女子高級中學／一年級	2015/3/21
S-F04	女	新北市立金山高級中學／二年級	2015/4/7
S-F05	女	新北市立金山高級中學／二年級	2015/4/7
S-F06	女	國立臺南女子高級中學／二年級	2015/4/15
S-F07	女	國立臺南女子高級中學／二年級	2015/4/15

代碼	性別	學校／年級	訪談日期 （年／月／日）
S-F08	女	國立臺南女子高級中學／一年級	2015/4/15
S-F09	女	高雄市立新莊高級中學／三年級	2015/4/16
S-F10	女	高雄市立新莊高級中學／三年級	2015/4/16
S-F11	女	高雄市立新莊高級中學／三年級	2015/4/16
S-F12	女	高雄市立新莊高級中學／三年級	2015/4/16
S-F13	女	高雄市立新莊高級中學／三年級	2015/4/16
S-F14	女	高雄市立新莊高級中學／三年級	2015/4/16
S-F15	女	新北市立三重高級商工職業學校／三年級	2015/5/7
S-F16	女	新北市立三重高級商工職業學校／三年級	2015/5/7
S-F17	女	新北市立三重高級商工職業學校／三年級	2015/5/7
S-F18	女	新北市立三重高級商工職業學校／三年級	2015/5/7
S-F19	女	新北市立三重高級商工職業學校／三年級	2015/5/7
S-F20	女	新北市立三重高級商工職業學校／三年級	2015/5/7
S-F21	女	新北市立三重高級商工職業學校／三年級	2015/5/7
S-F22	女	臺北市立大安高級工業職業學校／二年級	2015/6/10
S-F23	女	臺北市立大安高級工業職業學校／一年級	2015/6/13
S-F24	女	臺北市私立育達高級商業家事職業學校／二年級	2015/6/22
S-M01	男	桃園市立陽明高級中等學校／二年級	2015/2/2
S-M02	男	國立臺灣師範大學附屬高級中學／三年級	2015/3/25
S-M03	男	新北市立金山高級中學／二年級	2015/4/7
S-M04	男	新北市立金山高級中學／二年級	2015/4/7
S-M05	男	新北市立金山高級中學／二年級	2015/4/7
S-M06	男	國立曾文高級農工職業學校／二年級	2015/4/15
S-M07	男	國立曾文高級農工職業學校／二年級	2015/4/15
S-M08	男	高雄市立新莊高級中學／二年級	2015/4/16
S-M09	男	臺北市立大安高級工業職業學校／二年級	2015/6/10
S-M10	男	臺北市立大安高級工業職業學校／二年級	2015/6/12

附錄一——受訪中學生之基本資料

附錄二

訪談大綱——以繪本《壞心情！》為例

繪本之情緒療癒效用

一、認同

1. 這本繪本的故事內容在講些什麼？繪本中的主角是誰？

2. 本故事的主角和其他角色遭遇到哪些情緒困擾問題？為什麼？

3. 故事中有哪些角色與獾的情緒困擾問題相關？

二、淨化

1. 你覺得獾在面對情緒困擾問題時，產生了哪些心理感受？為什麼？

2. 獾如何解決問題？運用牠的處理方式後，獾的想法和情緒感受有何轉變？為什麼？

3. 你在閱讀這本繪本時，你感覺心情如何？為什麼？

4. 在閱讀整個故事的過程中，有哪些片段或情節讓你印象深刻？為什麼？

三、領悟

1. 若你是獾的話，面對這樣的情緒困擾問題，你會怎麼做？會不會用跟牠同樣的處理方式？為什麼？

2. 你對這個繪本故事的整體看法為何？此書的故事內容帶給你什麼樣的啟發？

參考文獻

王波（2014）。*閱讀療法（二版）*。北京市：海洋。

布萊姆、徐斯洛（1992）。*治療心理學*（張娟鳳等譯）。臺北市：天馬文化。（原作 1968 年出版）

安德魯・佐里、安瑪麗・希利（2012）。*恢復力*（李振昌譯）。臺北市：商周。（原作 2012 年出版）

艾爾・席伯特（2009）。*逆勢翻升：從谷底翻轉的挫折復原力*（蔡宏明譯）。臺北市：梅霖文化。（原作 2005 年出版）

吳迎春、謝明玲（2008，12 月）。自然療癒：你可以掌握自己的健康。*天下雜誌，412*，107-115。

李宜玲（2013）。*資優女高中生之情緒療癒研究—發展性繪本書目療法之應用*（未出版之碩士論文）。國立臺灣大學圖書資訊學研究所，臺北市。

每日調查（2016）。*少年維特的煩惱！那些你我青春期都過過的煩心事！* 取自 https://dailyview.tw/Daily/2016/05/28

兒童福利聯盟文教基金會（2013）。*[調查報告]2013 年青少年休閒生活現況調查報告記者會*。取自 http://www.children.org.tw/news/advocacy_detail/1063

林文寶、周惠玲、洪志明、許建崑、陳晞如、張嘉驊編著（1997）。*兒童讀物*。臺北縣：國立空中大學。

林正文（2002）。*青少年問題與輔導*。臺北市：五南。

林敏宜（2000）。*圖畫書的欣賞與應用*。臺北市：心理。

河合隼雄、松居直、柳田邦男（2005）。*繪本之力*（林真美譯）。臺北市：遠流。（原作 2001 年出版）

柳田邦男（2006）。*尋找一本繪本，在沙漠中……*（唐一寧、王國馨譯）。臺北市：遠流。（原作 2004 年出版）

孫聖昕（2015）。*繪本對高中職學生之情緒療癒效用研究—以遭遇自我認同情緒困擾者為例*（未出版之碩士論文）。國立臺灣大學圖書資訊學研究所，臺北市。

馬圖卡（2018）。*圖畫書大解密*（王志庚譯）。臺北市：天衛文化。（原作 2008 年出版）

陳書梅（2009）。*兒童情緒療癒繪本解題書目*。臺北市：臺大出版中心。

陳書梅（2014）。*從沉鬱到淡定：大學生情緒療癒繪本解題書目*。臺北市：臺大出版中心。

陳薏云（2017，9 月 6 日）。父母不讓她讀附中 北一女生剛入學 5 天跳樓。*自由時報*。取自 http://news.ltn.com.tw/news/society/breakingnews/2185299

陳麗雲（2011）。*幾米繪本藝術之研究*（未出版之碩士論文）。國立臺灣師範大學國文學系，臺北市。

黃芳祿（2010）。*遠東科大圖書館增設親子閱讀區 大學生爭看兒童繪本*。取自 https://www.nownews.com/news/20100916/642342

黃德祥（1996）。*青少年發展與輔導*。臺北市：五南。

歐慧敏（2012）。國中學生情緒智力、因應策略與行為困擾間之關聯研究。*中華輔導與諮商學報，33*，25-51。

衛生福利部（2016）。*中華民國 103 年兒童及少年生活狀況調查報告 - 少年篇*。取自 https://www.mohw.gov.tw/dl-4775-7fa1dfb7-3fc0-4cf6-b75c-09a6b7a4a3e1.html

Baruchson-Arbib, S. (2000). Bibliotherapy in school libraries: An Israeli experiment. *School Libraries Worldwide, 6* (2), 102-110.

Beardsley, D. A. (1979). *The effects of using fiction in bibliotherapy to alter the attitudes of regular third grade students toward their handicapped peers* (Unpublished doctoral dissertation). University of Missouri, Columbia.

Bohning, G. (1981). Bibliotherapy: Fitting the resources together. *Elementary School Journal, 82* (2), 166-170.

Crain, W. C. (2000). *Theories of developmental concepts and applications*. Upper Saddle River, NJ: Prentice-Hall.

Frude, N. (2018). *European Association for Health Information and Libraries (EAHIL) Conference: Neil Frude Abstract and Biography 2017*. Retrieved from https://eahilcardiff2018.files.wordpress.com/2017/05/neil-frude-abstract-and-biography-20171.pdf

Galda, L., & Cullinan, B. E. (2005). *Literature and the child*. Belmont, CA: Wadsworth/Thomson Learning.

Harris, T. L., & Hodges, R. E. (Eds.). (1981). *A dictionary of reading and related terms*. Newark, DE: International Reading Association.

Havighursat, R. (1972). *Developmental tasks and education*. New York, NY: McKay.

Heath, M. A., Sheen, D., Leavy, D., Young, E., & Money, K. (2005). Bibliotherapy: A resource to facilitate emotional healing and growth. *School Psychology International, 26* (5), 563-580.

Hébert, T. P. (1995). Using biography to counsel gifted young men. *Journal of Secondary Gifted Education, 6* (3), 208-219.

Pardeck, J. T. (1998). *Social work after the Americans with Disabilities Act: New challenges and opportunities for social service professionals*. Portsmouth, NH: Greenwood.

Tibljas, V. (2005). Growing up in a library: Teamwork leading to personal autonomy. *Young Adult Library Services, 3* (2), 22-26.

Zaccaria, J. S., & Moses, H. A. (1968). *Facilitating human development through reading: The use of bibliotherapy in teaching and counseling*. Champaign, IL: Stripes.

參考文獻

國家圖書館出版品預行編目（CIP）資料

從迷惘到堅定：中學生情緒療癒繪本解題書目 /
　陳書梅著. -- 初版. -- 臺北市：旺文社, 2018.07
　面；　公分
　ISBN 978-986-239-093-1（平裝）

1.書目療法　　2.繪本　　3.解題目錄

016.855　　　　　　　　　　　107013195

從迷惘到堅定
中學生情緒療癒繪本解題書目

From Uncertain to Steadfast:
An Annotated Bibliography of Emotional Healing Picture
Books for Junior and Senior High School Students

作　　者：陳書梅
發 行 人：李錫敏
出 版 者：旺文社股份有限公司
　　　　　地址：臺北市中山區龍江路120巷9號6樓
　　　　　E-mail：liximin999@gmail.com
　　　　　電話：02-82822851
　　　　　傳真：02-82822565
　　　　　劃撥帳號：11312222
初版一刷：2018 年7月
設計印刷：優點印刷設計股份有限公司
定　　價：新台幣400元
ISBN　978-986-239-093-1（平裝）